COLEÇÃO
ALECRIM 2
educação infantil
PARTE 2

Organizadora: SM Educação
Obra coletiva concebida, desenvolvida e produzida por SM Educação.
São Paulo, 3ª edição, 2022

Coleção Alecrim 2 – Parte 2
Projeto editorial - SM   © SM
© SM Educação
Todos os direitos reservados

Direção editorial Cláudia Carvalho Neves
Gerência editorial Lia Monguilhott Bezerra
Gerência de *design* e produção André Monteiro
Autoria Goyi Martín Fernández, Isabel Duran, Javier Bernabeu, Nieves Herrero Parral, Rosa M. Roca, Teresa Abellán
Edição executiva Valéria Vaz
Edição: Isis Ridão Teixeira, Mírian Cristina de Moura Garrido
Assistência de edição: Marina Farias Rebelo
Suporte editorial: Fernanda de Araújo Fortunato
Coordenação de preparação e revisão Cláudia Rodrigues do Espírito Santo
Preparação: Ivana Alves Costa
Revisão: Beatriz Nascimento, Luciana Chagas
Coordenação de *design* Gilciane Munhoz
***Design*:** Paula Maestro, Lissa Sakajiri
Coordenação de arte Andressa Fiorio
Edição de arte: Rosangela Cesar de Lima
Assistência de arte: Matheus Taioque, Renata Lopes Toscano
Coordenação de iconografia Josiane Laurentino
Pesquisa iconográfica: Beatriz Micsik
Tratamento de imagem: Marcelo Casaro
Capa Paula Maestro
Ilustração de capa Isabela Santos
Projeto gráfico Ami Comunicação & Design
Pré-impressão Américo Jesus
Fabricação Alexander Maeda
Impressão Forma Certa Gráfica Digital

Dados Internacionais de Catalogação na Publicação (CIP)
(Câmara Brasileira do Livro, SP, Brasil)

Alecrim 2 : educação infantil / organizadora SM Educação ;
  obra coletiva concebida, desenvolvida e produzida por
  SM Educação. -- 3. ed. -- São Paulo : Edições SM, 2022.

  ISBN 978-85-418-2953-3 (aluno)
  ISBN 978-85-418-2952-6 (professor)

  1. Atividades e exercícios (Educação infantil)
2. Educação infantil

22-110811   CDD-372.21

Índices para catálogo sistemático:
1. Educação infantil 372.21

Cibele Maria Dias – Bibliotecária – CRB-8/9427

3ª edição, 2022
2ª impressão, Setembro 2023

SM Educação
Avenida Paulista, 1842 – 18º andar
Bela Vista 01311-200 São Paulo SP Brasil
Tel. 11 2111-7400
atendimento@grupo-sm.com
www.grupo-sm.com/br

BOAS-VINDAS!

OLÁ, CRIANÇAS, PROFESSORAS, PROFESSORES E FAMILIARES!

É COM MUITO **CARINHO** E **CUIDADO** QUE TRAZEMOS A VOCÊS ESTA EDIÇÃO DA **COLEÇÃO ALECRIM**.

ELA FOI CRIADA PARA APOIAR E INCENTIVAR O **DESENVOLVIMENTO INTEGRAL** DAS CRIANÇAS QUE ESTÃO NA **EDUCAÇÃO INFANTIL**.

POR AQUI, VOCÊS ENCONTRARÃO PROPOSTAS DE BRINCADEIRAS, CONVERSAS, CANTIGAS, POEMAS, DESAFIOS, EXPERIMENTOS E MUITAS HISTÓRIAS DIVERTIDAS E EMOCIONANTES.

ACREDITAMOS QUE, POR MEIO DAS ATIVIDADES PLANEJADAS:

- » AS CRIANÇAS SERÃO INCENTIVADAS A SE DESENVOLVER FÍSICA, COGNITIVA E EMOCIONALMENTE.
- » PROFESSORAS, PROFESSORES, FAMILIARES E DEMAIS ADULTOS QUE CUIDAM DAS CRIANÇAS SERÃO ENVOLVIDOS NO PROCESSO EDUCATIVO DE MODO SIGNIFICATIVO E CUIDADOSO.

NOSSO PROJETO EDUCACIONAL INCLUI TODA A COMUNIDADE ESCOLAR, CONTRIBUINDO PARA QUE AS CRIANÇAS DA EDUCAÇÃO INFANTIL FAÇAM DESCOBERTAS INCRÍVEIS E CONHEÇAM MELHOR O MUNDO QUE AS CERCA. ASSIM, ELAS COMPREENDERÃO, DESDE CEDO, A IMPORTÂNCIA DE CUIDARMOS DO PLANETA E DAQUELES QUE CONVIVEM CONOSCO.

VAMOS LÁ?

EQUIPE EDITORIAL

Ilustrações: Thamires Paredes/ID/BR

CONHEÇA A COLEÇÃO: AS FICHAS DE TRABALHO

CADA LIVRO PRINCIPAL É DIVIDIDO EM PARTES CHAMADAS **UNIDADES**.

NO VOLUME 2, CADA UNIDADE APRESENTA 32 **FICHAS DE TRABALHO**.

AS FICHAS PODEM SER **DESTACADAS** PARA FACILITAR O SEU MANUSEIO.

CAPA
UTILIZE ESTA CAPA PARA ORGANIZAR OS SEUS TRABALHOS NO FINAL DO ESTUDO DA UNIDADE.

FICHA DESTACÁVEL

FRENTE

VERSO

FICHA DE TRABALHO
AS FICHAS APRESENTAM ATIVIDADES PARA VOCÊ DESENVOLVER DURANTE A AULA OU COM A AJUDA DAS PESSOAS ADULTAS QUE CUIDAM DE VOCÊ.

FRENTE

VERSO

FICHA INICIAL
A PRIMEIRA FICHA DA UNIDADE RETRATA UMA SALA DE AULA E APRESENTA O TEMA QUE SERÁ TRABALHADO.

FRENTE

VERSO

FICHA FINAL
NA ÚLTIMA FICHA DA UNIDADE, VOCÊ VAI FAZER UMA RETOMADA DO QUE APRENDEU.

CONHEÇA A COLEÇÃO: OS COMPLEMENTOS

 ATIVIDADES NO VERSO DA FICHA DE TRABALHO

 ATIVIDADES ASSÍNCRONAS (FORA DO HORÁRIO DE AULA)

ÍCONES

ENCARTES

CADA LIVRO PRINCIPAL TEM MATERIAIS DESTACÁVEIS QUE APRESENTAM CORES E FORMAS VARIADAS. ELES SERÃO USADOS EM ATIVIDADES ESPECÍFICAS.

LIVROS DE CONTOS

DOIS LIVROS PARA VOCÊ OUVIR, LER, CONTAR E RECONTAR HISTÓRIAS.

PROJETO *PLANETA VERDE*

DOIS LIVROS PARA VOCÊ CONHECER UM POUCO MAIS O MUNDO À SUA VOLTA E REFLETIR SOBRE FORMAS DE RESPEITAR E PRESERVAR O MEIO AMBIENTE.

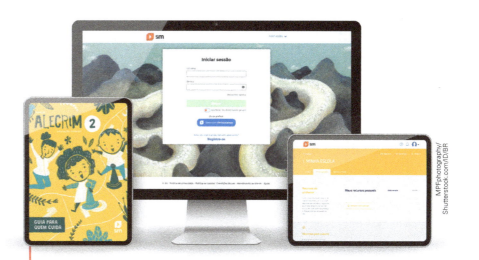

MATERIAIS DIGITAIS

NA PLATAFORMA **SM APRENDIZAGEM**, HÁ DIVERSOS RECURSOS DIGITAIS. ALÉM DISSO, OS ADULTOS QUE CUIDAM DE VOCÊ PODEM ACESSAR O *GUIA PARA QUEM CUIDA*, MATERIAL DE ORIENTAÇÃO VOLTADO PARA ELES.

SUMÁRIO

UNIDADE 4 — UM MUNDO PARA TODOS

1. QUE MEIOS DE TRANSPORTE VOCÊ CONHECE? — INICIAL

2. A ÁGUA, A TERRA, O AR

3. PRIMEIRO / ÚLTIMO

4. LÓGICA

5. IDENTIFICAR ALEGRIA E TRISTEZA

6. AS HISTÓRIAS DE AVENTURAS

7. NÚMEROS DE 1 A 9

8. OS MEIOS DE TRANSPORTE AÉREOS: OS FOGUETES

9. IDENTIFICAR FIGURAS

10. CABE / NÃO CABE

11. AS VIAGENS E AS ROUPAS

12. PAISAGEM MARINHA EM PORT-EN-BESSIN (NORMANDIA, FRANÇA), DE GEORGES-PIERRE SEURAT

13. OS MEIOS DE TRANSPORTE

14. TIRINHA / PERSONAGENS

15. ADIVINHA

16. OS VEÍCULOS ANTIGOS E OS VEÍCULOS MODERNOS

17. OS MEIOS DE TRANSPORTE TERRESTRES

18. NÚMEROS DE 1 A 9

19. IDENTIFICAR A IRRITAÇÃO

20. NA FRENTE DE / ATRÁS DE

21. TRIÂNGULO / QUADRADO / CÍRCULO

22. PRIMEIRO / SEGUNDO / TERCEIRO

23. ADIVINHAS

24. OS MEIOS DE TRANSPORTE: A BICICLETA

25. NÚMEROS DE 1 A 9

26. CABE / NÃO CABE

27. PRIMEIRO / ÚLTIMO

28. O FLAUTISTA DE HAMELIN

29. RESPEITAR A NATUREZA

30. OS MEIOS DE TRANSPORTE (VOCABULÁRIO)

31. OS MEIOS DE TRANSPORTE (SÉRIE LÓGICA)

32. O QUE APRENDEMOS? — FINAL

 LINGUAGENS    PENSAMENTO LÓGICO-MATEMÁTICO    NATUREZA E SOCIEDADE   EDUCAÇÃO EMOCIONAL

SUMÁRIO

UNIDADE 5
O QUE HÁ NO SOLO?

1 — O QUE VEMOS NO SOLO? — INICIAL

2 — REUTILIZAR

3 — MAIOR QUE / MENOR QUE

4 — CIRCULAR / OVAL

5 — NENHUM / UM / PELO MENOS UM / TODOS

6 — RECONHECER DIFERENTES EMOÇÕES

7 — NA FRENTE E ATRÁS / AO LADO / EM VOLTA DE

8 — LINHA CURVA / LINHA RETA

9 — NÚMERO 0 (ZERO)

10 — O CICLO DE VIDA DAS PLANTAS

11 — AS PLANTAS DA HORTA E AS PLANTAS DO JARDIM

12 — GRÁFICO

13 — OS ANIMAIS QUE VIVEM NO SOLO

14 — *OS GIRASSÓIS*, DE VINCENT VAN GOGH

15 — MAIS PESADO QUE / MAIS LEVE QUE

16 — RETÂNGULO

17 — NÚMERO 10

18 — RECONHECER A IRRITAÇÃO

19 — LISTA / NOMES DAS FLORES

20 — TEXTURAS: ÁSPERO E LISO

21 — LETRA P

22 — DESENVOLVER A AUTONOMIA

23 — PERTO / LONGE

24 — LETRA P

25 — LINHA CURVA / LINHA RETA

26 — A INTERFERÊNCIA DO SER HUMANO NO SOLO

27 — *SOPA DE PEDRAS*

28 — O TEMPO ATMOSFÉRICO

29 — A PRESERVAÇÃO DO SOLO

30 — NÚMEROS DE 1 A 10

31 — VERDADEIRO OU FALSO (SÉRIE LÓGICA)

32 — O QUE APRENDEMOS? — FINAL

 LINGUAGENS
 PENSAMENTO LÓGICO-MATEMÁTICO
 NATUREZA E SOCIEDADE
 EDUCAÇÃO EMOCIONAL

SUMÁRIO

UNIDADE 6
OS ANIMAIS

1 QUE ANIMAIS VOCÊ CONHECE? — INICIAL

2 OS ANIMAIS DOMESTICADOS E OS ANIMAIS SILVESTRES

3 ANTES / DEPOIS

4 SE..., ENTÃO...

5 NÚMEROS DE 1 A 9

6 OS ANIMAIS SILVESTRES

7 APRENDER A SE ACALMAR

8 LETRA L

9 QUADRADO / RETÂNGULO

10 CLASSIFICAR POR FORMAS E CORES

11 AS PEGADAS DOS ANIMAIS

12 MAIS PERTO QUE / MAIS LONGE QUE

13 PRIMEIRO / ÚLTIMO

14 NÚMERO DE 1 A 10 / LIGA-PONTOS

15 LETRA L

16 O QUE COBRE O CORPO DOS ANIMAIS

17 *ELEFANTE DA TERRA*, DE ANTHONY HEYWOOD

18 RECONHECER A PREOCUPAÇÃO E A ALEGRIA

19 CONVITE

20 AS FORMAS DE LOCOMOÇÃO DOS ANIMAIS

21 RECONHECER O MEDO

22 MAIS RÁPIDO QUE / MAIS LENTO QUE

23 ANTES / AGORA / DEPOIS

24 SEQUÊNCIA TEMPORAL

25 LETRA L

26 LINHAS ABERTAS / LINHAS FECHADAS

27 NÚMEROS DE 1 A 10

28 O LEÃO E O RATO

29 OS CUIDADOS COM OS ANIMAIS

30 ANIMAIS EXTINTOS: OS DINOSSAUROS

31 CACHINHOS DOURADOS (SÉRIE LÓGICA)

32 O QUE APRENDEMOS? — FINAL

 LINGUAGENS
 PENSAMENTO LÓGICO-MATEMÁTICO
 NATUREZA E SOCIEDADE
 EDUCAÇÃO EMOCIONAL

NOME: _____

FICHA INICIAL — UNIDADE 4 — FICHA 1

QUE MEIOS DE TRANSPORTE VOCÊ CONHECE?

» CONTE QUANTAS CRIANÇAS ESTÃO BRINCANDO DE TREM.
» CONTORNE DE VERMELHO A PRIMEIRA CRIANÇA E DE AZUL A ÚLTIMA.
» PERGUNTE AO PROFESSOR QUE DIA DA SEMANA É HOJE E PINTE DE AMARELO A DATA NO CALENDÁRIO.
» PINTE DE VERDE NO CALENDÁRIO QUE DIA SERÁ AMANHÃ.
» OBSERVE A IMAGEM DA CRIANÇA NA CIDADE. LIGUE A PALAVRA **CIDADE** À SUA INICIAL NAS LETRAS DO VARAL DA SALA DE AULA.
» QUAIS MEIOS DE TRANSPORTE VOCÊ CONHECE? FAÇA UM DESENHO EM QUE VOCÊ ESTEJA DIRIGINDO UM DELES.

UNIDADE 4 ◆ **FICHA 2**

NOME: _____

A ÁGUA, A TERRA, O AR

ENCARTE

» DESTAQUE AS PEÇAS DO ENCARTE.
» COLE CADA SER VIVO NO AMBIENTE ONDE ELE PODE SER ENCONTRADO: ÁGUA, TERRA OU AR.

UNIDADE 4 • FICHA 3

NOME: _____

PRIMEIRO / ÚLTIMO

UNIDADE 4
FICHA 3

» CONTORNE DE VERMELHO O **PRIMEIRO** DE CADA FILA.

» CONTORNE DE AZUL O **ÚLTIMO** DE CADA FILA.

» DIGA QUEM É O PRIMEIRO E QUEM É O ÚLTIMO DE CADA FILA, ASSIM:
O MENINO DE CABELO CASTANHO É O...

UNIDADE 4 ✦ FICHA 4

NOME: _____

LÓGICA

UNIDADE 4
FICHA 4

» LIGUE A MENINA A CADA SITUAÇÃO CORRESPONDENTE.

» CONTE O QUE ACONTECE EM CADA CASO, ASSIM: SE A MENINA ESTÁ DE CASACO, É PORQUE FAZ FRIO.

» DIGA COMO ESTAVA O TEMPO ONTEM E COMO ESTÁ HOJE.

UNIDADE 4 ◆ FICHA 5

NOME: _____

IDENTIFICAR ALEGRIA E TRISTEZA

UNIDADE 4 — FICHA 5

ENCARTE

» DESTAQUE AS PEÇAS DO ENCARTE E COLE AS IMAGENS DE ACORDO COM O QUE AS CRIANÇAS SENTEM EM CADA SITUAÇÃO.

UNIDADE 4 ✦ FICHA 6

NOME: _____

AS HISTÓRIAS DE AVENTURAS

UNIDADE 4
FICHA 6

» ESCOLHA UMA DAS PAISAGENS PARA SER O CENÁRIO DE UMA AVENTURA.

» REÚNA-SE COM MAIS DOIS COLEGAS. CADA UM VAI CONTAR COMO SERIA A AVENTURA NO CENÁRIO QUE ESCOLHEU.

» ESCOLHAM UMA DAS AVENTURAS PARA CONTAR AO RESTANTE DA TURMA. O PROFESSOR VAI ESCREVÊ-LA.

» FAÇA UM DESENHO DA AVENTURA QUE PODERIA ACONTECER NO CENÁRIO ESCOLHIDO.

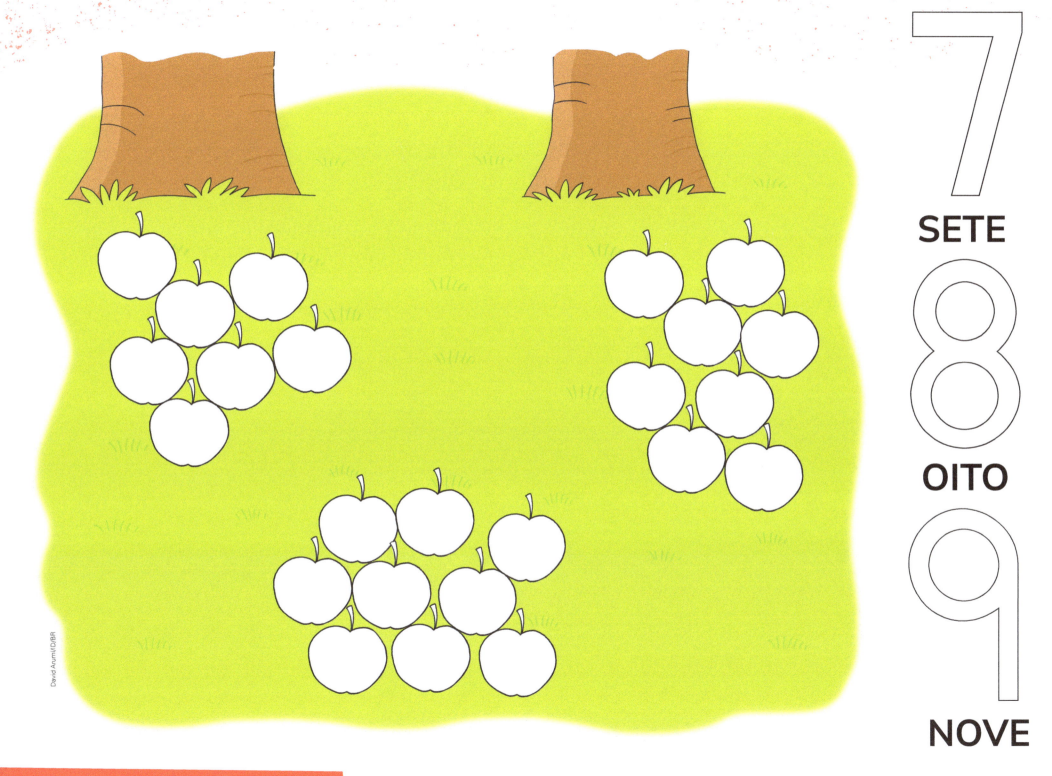

NOME: _____

NÚMEROS DE 1 A 9

UNIDADE 4
FICHA 7

» CONTE QUANTAS MAÇÃS HÁ EM CADA GRUPO.
» PINTE DE VERMELHO O NÚMERO **7** E AS MAÇÃS DO GRUPO COM A MESMA QUANTIDADE.
» PINTE DE VERDE O NÚMERO **8** E AS MAÇÃS DO GRUPO COM A MESMA QUANTIDADE.
» PINTE DE AMARELO O NÚMERO **9** E AS MAÇÃS DO GRUPO COM A MESMA QUANTIDADE.

UNIDADE 4 • FICHA 8

NOME: _____

OS MEIOS DE TRANSPORTES AÉREOS: OS FOGUETES

» IMAGINE QUE VOCÊ E MAIS TRÊS COLEGAS SÃO ASTRONAUTAS E CADA UM VAI VIAJAR EM UM DOS FOGUETES. ESCREVA SEU NOME PERTO DO SEU FOGUETE E O NOME DE CADA UM DE SEUS COLEGAS PERTO DO FOGUETE DELES.

» PINTE OS FOGUETES.

» MOSTRE OS FOGUETES PARA O ADULTO QUE CUIDA DE VOCÊ. DEPOIS, CONVERSEM SOBRE COMO SERÁ ESSA VIAGEM.

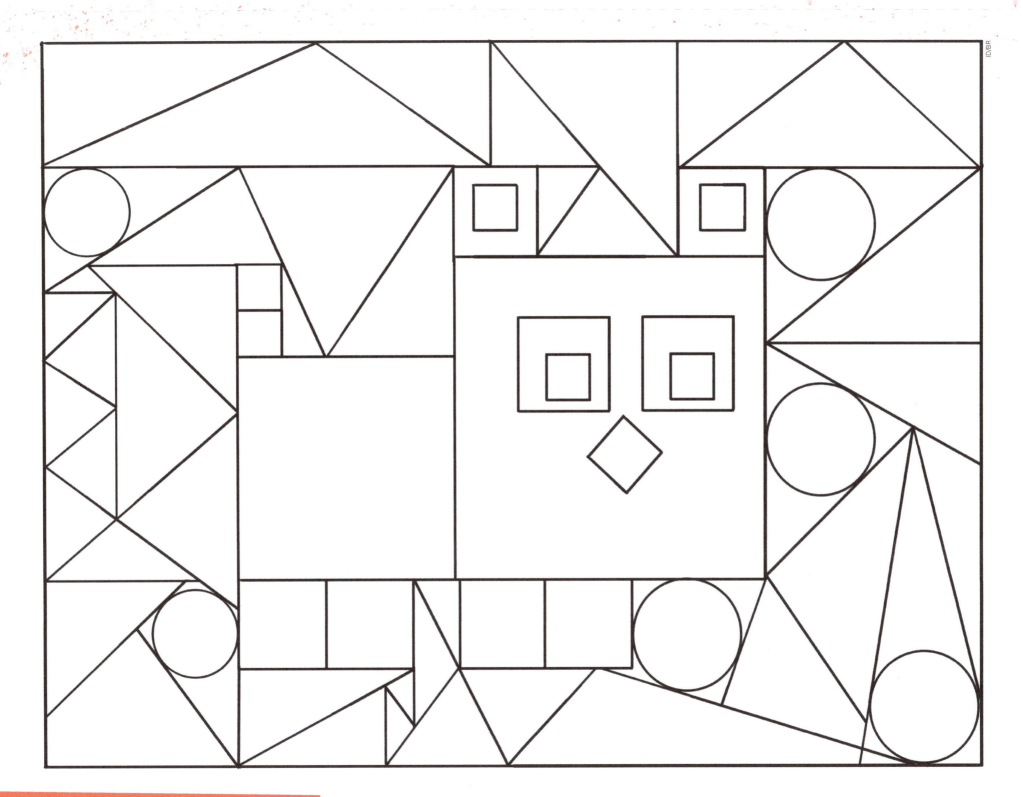

UNIDADE 4 ◆ **FICHA 9**

NOME: _____

IDENTIFICAR FIGURAS

UNIDADE 4
FICHA 9

» PINTE OS QUADRADOS PARA DESCOBRIR O DESENHO ESCONDIDO.
» QUAIS OUTRAS FIGURAS VOCÊ ENCONTROU?

UNIDADE 4 ✦ FICHA 10

NOME: _____

CABE / NÃO CABE

» OBSERVE OS POTES QUE ESTÃO ENCAIXADOS E RESPONDA SE É VERDADEIRO OU FALSO:
  - O POTE AZUL CABE NO POTE VERMELHO.
  - O POTE VERMELHO CABE NO POTE AZUL.
  - O POTE AMARELO CABE NO POTE AZUL.
  - O POTE AZUL CABE NO POTE AMARELO.
  - O POTE AMARELO CABE NO POTE VERMELHO.

» PINTE DE VERDE O POTE QUE CABE DENTRO DO POTE AMARELO.

UNIDADE 4 • **FICHA 11**

NOME: _____

AS VIAGENS E AS ROUPAS

UNIDADE 4 — FICHA 11

ENCARTE

» DESTAQUE DO ENCARTE AS PEÇAS DE ROUPA.
» ESCOLHA ALGUMAS E GUARDE-AS NA MALA.
» COMPLETE O DESENHO COM OUTROS ELEMENTOS.

PAISAGEM MARINHA EM PORT-EN-BESSIN, DE GEORGES-PIERRE SEURAT.

UNIDADE 4 ◆ **FICHA 12**

NOME: _____

PAISAGEM MARINHA EM PORT-EN-BESSIN (NORMANDIA, FRANÇA), DE GEORGES-PIERRE SEURAT

UNIDADE 4
FICHA 12

O PONTILHISMO

NEM TODOS OS PINTORES PINTAM DA MESMA MANEIRA. ALGUNS DÃO GRANDES PINCELADAS, OUTROS, PEQUENAS; ALGUNS MISTURAM AS CORES NA PALETA, OUTROS, NA TELA; ALGUNS PINTAM MUITO RÁPIDO, OUTROS, COM CALMA...

GEORGES-PIERRE SEURAT FOI UM DOS PRIMEIROS A USAR A TÉCNICA DO PONTILHISMO. NESSA TÉCNICA, OS ARTISTAS VÃO FAZENDO MUITOS PONTINHOS COM O PINCEL PARA CRIAR SEUS QUADROS.

OLHANDO DE LONGE, OS PONTINHOS PARECEM MISTURADOS E FORMAM PAISAGENS, PESSOAS E OBJETOS. MAS, SE OLHARMOS DE PERTO, VEMOS MUITOS PONTINHOS.

» PINTE O BARCO COM TINTA DE VÁRIAS CORES, USANDO A PONTA DOS DEDOS PARA FAZER PONTINHOS.

UNIDADE 4 ◆ FICHA 13

NOME: _____

OS MEIOS DE TRANSPORTE

UNIDADE 4
FICHA 13

> **O TREM MALUCO**
>
> O TREM MALUCO,
> QUANDO SAI DE PERNAMBUCO,
> VAI FAZENDO VUCO-VUCO
> ATÉ CHEGAR NO CEARÁ.
> REBOLA BOLA,
> VOCÊ DIZ QUE DÁ, QUE DÁ.
> VOCÊ DIZ QUE DÁ NA BOLA,
> NA BOLA VOCÊ NÃO DÁ.
> REBOLA PAI, REBOLA MÃE, REBOLA FILHA,
> EU TAMBÉM SOU DA FAMÍLIA,
> TAMBÉM QUERO REBOLAR.
>
> DOMÍNIO PÚBLICO.

» CANTE A CANTIGA COM O PROFESSOR E OS COLEGAS.
» OBSERVE O DESENHO E CIRCULE AS CINCO SITUAÇÕES IMPOSSÍVEIS.

UNIDADE 4 ◆ FICHA 14

NOME: _____

TIRINHA / PERSONAGENS

UNIDADE 4
FICHA 14

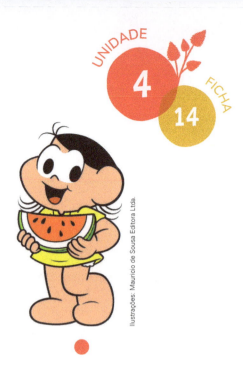

MAGALI

MÔNICA

CASCÃO

» JUNTO COM O PROFESSOR, LEIA A TIRINHA.

» O QUE QUEREM DIZER AS PALAVRAS DENTRO DOS BALÕES E AS ESTRELINHAS PERTO DELES?

» QUEM É O MENINO SAINDO DO ÔNIBUS NO ÚLTIMO QUADRINHO? VOCÊ SABE O NOME DELE? ESCREVA-O NO QUADRO EMBAIXO DA TIRINHA.

» VOCÊ CONHECE AS PERSONAGENS QUE ESTÃO NESTA PÁGINA? LIGUE CADA PERSONAGEM AO RESPECTIVO NOME.

ADIVINHA

NÃO SOU PASSARINHO, MAS POSSO VOAR
E MUITAS PESSOAS COMIGO LEVAR.
SE SUBO BEM ALTO, VAMOS VIAJAR.
MAS, SE VOO BAIXO, VOU ATERRISSAR.
QUEM SOU EU?

A BORBOLETA

O AVIÃO

O BARCO

UNIDADE 4 ◆ FICHA 15

NOME: _____

ADIVINHA

UNIDADE 4
FICHA 15

» OUÇA A ADIVINHA QUE O PROFESSOR VAI LER E DESCUBRA A RESPOSTA.
» PINTE O CÍRCULO QUE CORRESPONDE À RESPOSTA.

CARRO ANTIGO

TREM ANTIGO

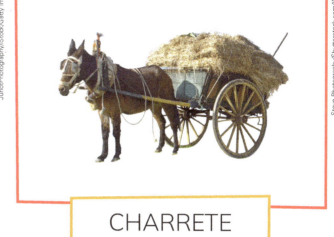
CHARRETE

TREM

TRATOR

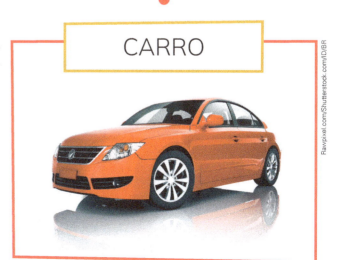
CARRO

UNIDADE 4 ◆ FICHA 16

NOME: _____

OS VEÍCULOS ANTIGOS E OS VEÍCULOS MODERNOS

UNIDADE 4
FICHA 16

» OBSERVE AS FOTOGRAFIAS DE MEIOS DE TRANSPORTE ANTIGOS E ATUAIS.
» LIGUE AS FOTOGRAFIAS DOS MEIOS DE TRANSPORTE CORRESPONDENTES.

UNIDADE 4 ◆ **FICHA 17**

NOME: _____

OS MEIOS DE TRANSPORTE TERRESTRES

UNIDADE 4
FICHA 17

» COMPLETE O DESENHO DO MEIO DE TRANSPORTE.

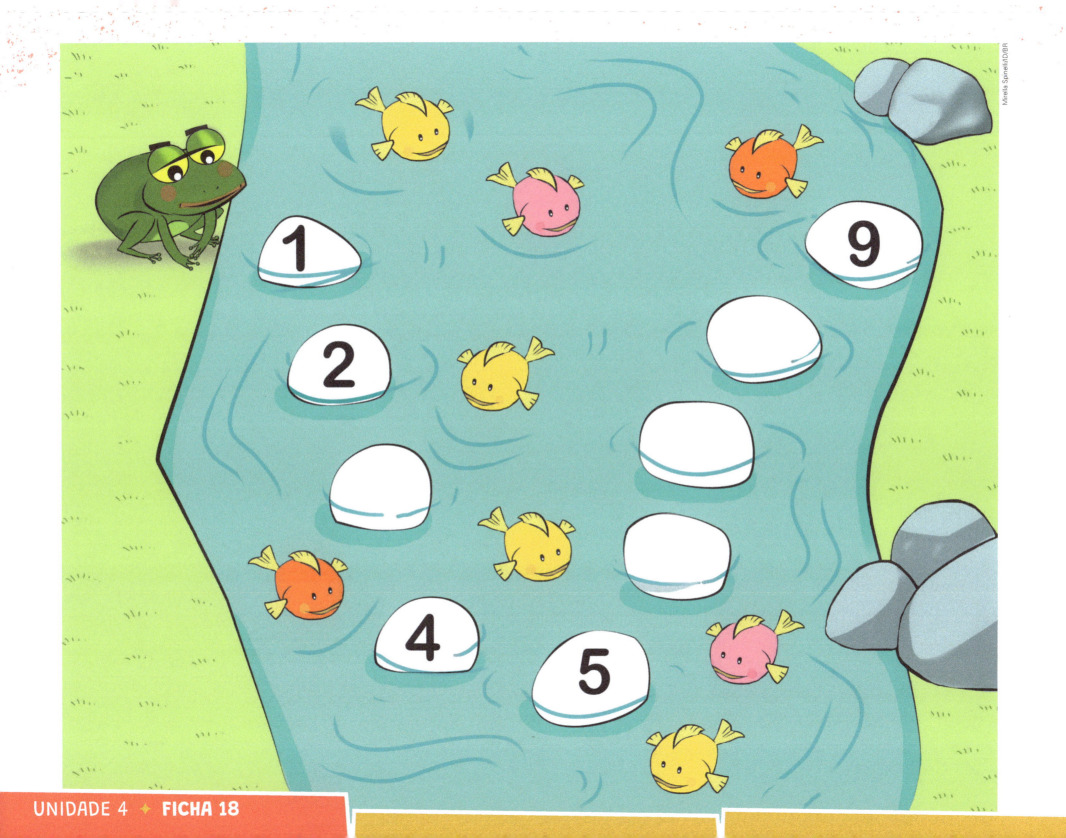

UNIDADE 4 ◆ FICHA 18

NOME: _____

NÚMEROS DE 1 A 9

UNIDADE 4
FICHA 18

» O QUE MAIS HÁ EM UMA PAISAGEM DE RIO?

» COMPLETE A SEQUÊNCIA DE NÚMEROS DE **1** A **9**.

» QUANTOS PEIXES HÁ NO RIO?

» PINTE DE VERMELHO A PEDRA QUE CORRESPONDE À QUANTIDADE DE PEIXES QUE HÁ NO RIO.

MUITO IRRITADO

IRRITADO

CALMO

UNIDADE 4 ✦ FICHA 19

NOME: _____

IDENTIFICAR A IRRITAÇÃO

UNIDADE 4 · FICHA 19

» OBSERVE O BONECO FRANCIS. O QUE VOCÊ IMAGINA QUE ELE ESTÁ SENTINDO EM CADA IMAGEM? DESCREVA A EXPRESSÃO DE FRANCIS EM CADA SITUAÇÃO.

» PINTE O TERMÔMETRO COM A COR CORRESPONDENTE AO QUE ELE SENTE.

» AGORA, DESENHE UMA SITUAÇÃO QUE CAUSA RAIVA OU IRRITAÇÃO EM VOCÊ. CONVERSE COM OS COLEGAS SOBRE OS MOTIVOS QUE LEVAM A ESSE SENTIMENTO.

NOME: _____

NA FRENTE DE / ATRÁS DE

UNIDADE 4
FICHA 20

ENCARTE

» DESTAQUE AS PEÇAS DO ENCARTE.
» COLE O GATO NA FRENTE DA ÁRVORE.
» COLE A ÁRVORE NA FRENTE DO CACHORRO.
» EXPLIQUE ONDE ESTÃO O CACHORRO, O GATO E AS ÁRVORES DIZENDO: **NA FRENTE DE** / **ATRÁS DE**.

UNIDADE 4 ◆ **FICHA 21**

NOME: _____

TRIÂNGULO / QUADRADO / CÍRCULO

ENCARTE

» DESTAQUE AS PEÇAS DO ENCARTE E ORGANIZE AS FIGURAS DO MESMO MODO QUE APARECEM NO DESENHO.

» COLE AS FIGURAS E DESENHE O QUE FALTA PARA OBTER A MESMA CENA.

» ESCREVA O NÚMERO DE CÍRCULOS, QUADRADOS E TRIÂNGULOS QUE VOCÊ USOU PARA OBTER O MESMO DESENHO.

UNIDADE 4 ◆ FICHA 22

NOME: _____

PRIMEIRO / SEGUNDO / TERCEIRO

UNIDADE 4 — FICHA 22

» OBSERVE AS CRIANÇAS BRINCANDO DE CORRIDA DE PATINETE.

> PINTE DE AMARELO O CAPACETE E A CALÇA DA CRIANÇA QUE ESTÁ EM **PRIMEIRO** LUGAR.

> PINTE DE VERMELHO O CAPACETE E A CALÇA DA CRIANÇA QUE ESTÁ EM **SEGUNDO** LUGAR.

> PINTE DE VERDE O CAPACETE E A CALÇA DA CRIANÇA QUE ESTÁ EM **TERCEIRO** LUGAR.

SOZINHO E SOBRE RODAS EU VOU.
FAÇO EXERCÍCIO E NEM
UM CENTAVO EU DOU.
DE QUE EU VOU?

SUBO EM UMA ESTAÇÃO,
E COM VÁRIAS OUTRAS PESSOAS
VOU EM UM VAGÃO.
DE QUE EU VOU?

PELO MAR ELE DESLIZARÁ,
E DE UMA ILHA A OUTRA NOS LEVARÁ.
O QUE SERÁ?

UNIDADE 4 ◆ **FICHA 23**

NOME: _____

ADIVINHAS

UNIDADE 4
FICHA 23

ENCARTE

» DESTAQUE AS PEÇAS DO ENCARTE E FALE QUE MEIO DE TRANSPORTE HÁ EM CADA UMA DELAS.

» OUÇA AS ADIVINHAS QUE O PROFESSOR VAI LER. COLE AO LADO DE CADA ADIVINHA A PEÇA DO MEIO DE TRANSPORTE QUE É A RESPOSTA.

» VOCÊ JÁ ANDOU EM ALGUM DESSES MEIOS DE TRANSPORTE? QUAL?

UNIDADE 4 ✦ **FICHA 24**

NOME: _____

OS MEIOS DE TRANSPORTE: A BICICLETA

UNIDADE 4
FICHA 24

» LIGUE A CRIANÇA AOS EQUIPAMENTOS NECESSÁRIOS PARA ANDAR DE BICICLETA COM SEGURANÇA.

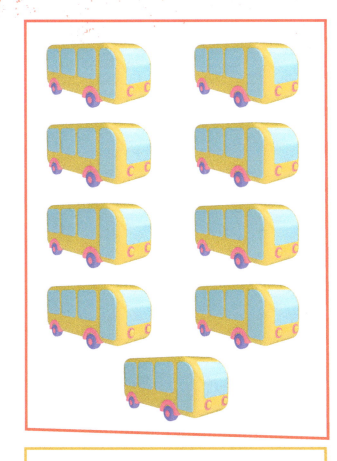

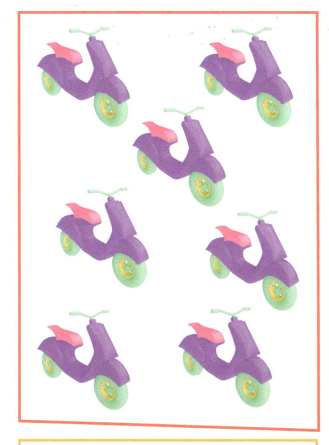

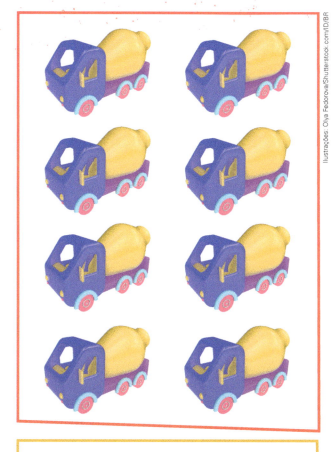

7 - SETE	7 - SETE	7 - SETE
8 - OITO	8 - OITO	8 - OITO
9 - NOVE	9 - NOVE	9 - NOVE

UNIDADE 4 ◆ FICHA 25

NOME: _____

NÚMEROS DE 1 A 9

UNIDADE 4
FICHA 25

» PINTE O NÚMERO DE ELEMENTOS QUE HÁ EM CADA GRUPO.

UNIDADE 4 ✦ **FICHA 26**

NOME: _____

CABE / NÃO CABE

UNIDADE 4
FICHA 26

» PINTE O QUADRINHO DE AZUL SE FOR VERDADEIRO E DE VERMELHO SE FOR FALSO:
  › TODA A ÁGUA DA JARRA CABE NO COPO.
  › A CAIXA AMARELA CABE NA CAIXA AZUL.
  › TODA A ÁGUA DA PISCINA NÃO CABE NO BALDE.
  › A CAIXA LARANJA NÃO CABE NA CAIXA BRANCA.

UNIDADE 4 ◆ FICHA 27

NOME: _____

PRIMEIRO / ÚLTIMO

UNIDADE 4
FICHA 27

» CONTORNE DE VERDE O CARRO QUE É O PRIMEIRO DA FILA E DE VERMELHO O ÚLTIMO DA FILA.

» NA PRIMEIRA FILA, IMAGINE QUE O CARRO VERMELHO PASSE O CARRO AMARELO. QUE CARRO É O ÚLTIMO AGORA? FAÇA UM **X** SOBRE ELE.

» NA SEGUNDA FILA, IMAGINE QUE O CARRO VERMELHO PASSE O AMARELO. QUE CARRO É O PRIMEIRO AGORA? FAÇA UM **X** SOBRE ELE.

UNIDADE 4 ◆ **FICHA 28**

NOME: _____

O FLAUTISTA DE HAMELIN

UNIDADE 4
FICHA 28

» OUÇA A HISTÓRIA QUE O PROFESSOR VAI CONTAR.

» AS ILUSTRAÇÕES DA PRIMEIRA LINHA MOSTRAM CENAS DAS MESMAS PARTES DA HISTÓRIA QUE AS ILUSTRAÇÕES DA SEGUNDA LINHA. LIGUE OS QUADROS QUE MOSTRAM AS MESMAS PARTES DA HISTÓRIA.

» CONTE O QUE ACONTECE EM CADA MOMENTO DA HISTÓRIA, DESTA MANEIRA: O FLAUTISTA CHEGOU...; OS RATOS...; AS CRIANÇAS...

» AGORA, IMAGINE QUE VOCÊ TEM UMA FLAUTA COMO A DO FLAUTISTA. QUEM VOCÊ GOSTARIA QUE O VISSE TOCANDO? DESENHE-O.

UNIDADE 4 ◆ **FICHA 29**

NOME: _____

RESPEITAR A NATUREZA

UNIDADE 4
FICHA 29

» FAÇA UM **X** NAS PESSOAS QUE ESTÃO FAZENDO ALGO RUIM PARA O MEIO AMBIENTE.
» CONTORNE AS CRIANÇAS QUE ESTÃO FAZENDO ALGO BOM PARA O MEIO AMBIENTE.
» VOCÊ JÁ TEVE UM COMPORTAMENTO PARECIDO COM O DE ALGUMA PESSOA DA CENA? QUAL?
» CONTORNE O MEIO DE TRANSPORTE QUE NÃO POLUI O MEIO AMBIENTE.

| B | | R | C | |

| | V | | Ã | |

| C | | | NH | Ã | |

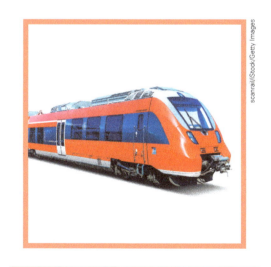

| | | T | RÔ | |

| | C | | R | R | |

| B | | C | | CL | | T | |

UNIDADE 4 ✦ **FICHA 30**

NOME: _____

OS MEIOS DE TRANSPORTE (VOCABULÁRIO)

UNIDADE 4
FICHA 30

» FALE O NOME DE CADA MEIO DE TRANSPORTE DA FICHA.
» COMPLETE OS NOMES DESSES MEIOS DE TRANSPORTE COM AS LETRAS QUE FALTAM.
» FALE O NOME DE CADA LETRA QUE VOCÊ USOU PARA COMPLETAR AS PALAVRAS.
» ESCOLHA UM DOS MEIOS DE TRANSPORTE E FAÇA SONS COM A BOCA, IMITANDO O BARULHO QUE ESSE MEIO DE TRANSPORTE FAZ.

 CARRO  TALITA 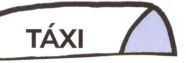 TÁXI

UNIDADE 4 ◆ **FICHA 31**

NOME: _____

OS MEIOS DE TRANSPORTE (SÉRIE LÓGICA)

UNIDADE 4
FICHA 31

» COMO SE CHAMA O MEIO DE TRANSPORTE DA ILUSTRAÇÃO?
» EM QUE SITUAÇÕES SE COSTUMA USAR ESSE MEIO DE TRANSPORTE?
» QUAL DAS TRÊS PLACAS POSSUI A PALAVRA QUE NOMEIA ESSE MEIO DE TRANSPORTE? CONTORNE-A.
» COPIE ESSA PALAVRA NA PLACA EM BRANCO EM CIMA DO CARRO.
» CONTINUE A SEQUÊNCIA, DESENHANDO E PINTANDO AS FIGURAS.

O QUE APRENDEMOS?

NOME: _____

FICHA FINAL — UNIDADE 4 — FICHA 32

» DESENHE NO QUADRO OS MEIOS DE TRANSPORTE QUE VOCÊ CONHECE QUE SE MOVEM PELA TERRA, PELA ÁGUA E PELO AR.

UNIDADE 5

NOME: _____

O QUE HÁ NO SOLO?

NOME: _____

FICHA INICIAL — UNIDADE 5 — FICHA 1

O QUE VEMOS NO SOLO?

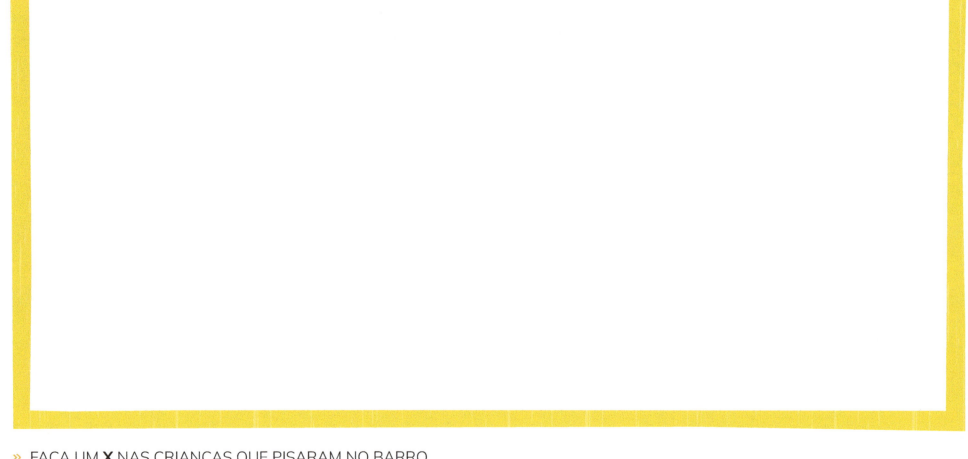

» FAÇA UM **X** NAS CRIANÇAS QUE PISARAM NO BARRO.

» CONTORNE O NÚMERO QUE INDICA QUE **NÃO HÁ** FORMIGAS INDO PARA O FORMIGUEIRO.

» OBSERVE AS COISAS QUE A PROFESSORA TEM À SUA FRENTE. CONTORNE AQUELA QUE VOCÊ GOSTARIA DE TOCAR E EXPLIQUE POR QUÊ.

» AGORA, DESENHE ALGO QUE VOCÊ JÁ VIU NO SOLO QUANDO O OBSERVOU.

UNIDADE 5 ✦ FICHA 2

NOME: _____

REUTILIZAR

UNIDADE 5
FICHA 2

- » SIGA AS ORIENTAÇÕES DO PROFESSOR:
    - › ENCONTRE UM TRIÂNGULO E CONTORNE-O COM GIZ DE CERA VERMELHO.
    - › PINTE AS RODAS DO CARRO.
- » TRAGA PARA A SALA DE AULA OS MATERIAIS RECICLÁVEIS SOLICITADOS PELO PROFESSOR: PAPELÃO, EMBALAGEM DE OVOS, GARRAFAS PLÁSTICAS…
- » INVENTE UM OBJETO COMO OS QUE VEMOS NAS IMAGENS. DEPOIS, DESENHE-O NO QUADRO.

UNIDADE 5 • FICHA 3

NOME: _____

MAIOR QUE / MENOR QUE

UNIDADE 5 • FICHA 3

» FAÇA UM **X** NO PLANETA MAIOR QUE O VERMELHO.

» CONTORNE O PLANETA MENOR.

» COMPARE OS QUATRO PLANETAS ASSIM: O PLANETA VERMELHO É MAIOR QUE O PLANETA..., MAS ESTE É MENOR QUE O PLANETA...

UNIDADE 5 ◆ FICHA 4

NOME: _____

CIRCULAR / OVAL

UNIDADE 5
FICHA 4

ENCARTE

» DESTAQUE DO ENCARTE AS PEÇAS COM FORMA CIRCULAR E OVAL E COLE-AS PARA FORMAR FLORES, CONFORME O MODELO.

» CONTE QUANTAS FORMAS **CIRCULARES** TEM CADA FLOR.

» CONTE QUANTAS FORMAS **OVAIS** TEM CADA FLOR.

UNIDADE 5 ◆ FICHA 5

NOME: _____

NENHUM / UM / PELO MENOS UM / TODOS

UNIDADE 5
FICHA 5

» COMPLETE OS DESENHOS DAS CRIANÇAS CONFORME AS INDICAÇÕES DO ADULTO QUE CUIDA DE VOCÊ.
  › NENHUMA CRIANÇA CARREGA MOCHILA.
  › UMA CRIANÇA VESTE CALÇA VERMELHA.
  › PELO MENOS UMA CRIANÇA USA CAMISETA AZUL.
  › TODAS AS CRIANÇAS USAM BONÉ.
» COMPLETE ESTA FRASE: NENHUMA CRIANÇA ESTÁ TRISTE PORQUE TODAS ESTÃO...

UNIDADE 5 • **FICHA 6**

NOME: _____

RECONHECER DIFERENTES EMOÇÕES

UNIDADE 5 · FICHA 6

ENCARTE

» FALE O QUE AS CRIANÇAS ESTÃO SENTINDO EM CADA CENA.

» DESTAQUE AS PEÇAS DO ENCARTE E COLE A CARINHA QUE EXPRESSA O SENTIMENTO DAS CRIANÇAS EM CADA IMAGEM.

» QUAL DESSAS SITUAÇÕES VOCÊ GOSTARIA DE VIVER? POR QUÊ?

» QUAL DESSAS SITUAÇÕES VOCÊ NÃO GOSTARIA DE VIVER? POR QUÊ?

NOME: _____

NA FRENTE E ATRÁS / AO LADO / EM VOLTA DE

UNIDADE 5 — FICHA 7

» COLE BOLINHAS DE PAPEL VERDE NA ÁRVORE QUE ESTÁ **ATRÁS** DAS CRIANÇAS.

» COLE BOLINHAS DE PAPEL AMARELO NA ÁRVORE QUE ESTÁ **NA FRENTE** DAS CRIANÇAS.

» COLE BOLINHAS DE PAPEL VERMELHO NA ÁRVORE QUE TEM CRIANÇAS **AO LADO** DELA.

» EXPLIQUE COMO ESTÃO POSICIONADAS AS CRIANÇAS NA OUTRA ÁRVORE. PINTE ESSA ÁRVORE DA COR QUE VOCÊ QUISER.

UNIDADE 5 ◆ FICHA 8

NOME: _____

LINHA CURVA / LINHA RETA

UNIDADE 5
FICHA 8

» COM GIZ DE CERA, PINTE O CAMINHO QUE LEVA CADA CRIANÇA AO SEU INSTRUMENTO MUSICAL.

» QUAL CAMINHO É MAIS LONGO?

» EXPLIQUE COMO SÃO OS CAMINHOS ASSIM: O CAMINHO RETO É MAIS CURTO QUE O CAMINHO CURVO. O CAMINHO CURVO É MAIS…

ZERO 0 0 0 0 0

UNIDADE 5 ◆ FICHA 9

NOME: _____

NÚMERO 0 (ZERO)

» CONTE E ESCREVA QUANTAS LARANJAS HÁ EM CADA CESTO.

» PINTE O CESTO QUE NÃO TEM LARANJAS. QUE NÚMERO ESTÁ ESCRITO NELE?

» EXPLIQUE QUANTAS LARANJAS HÁ NO ÚLTIMO CESTO ASSIM: O NÚMERO ZERO INDICA QUE NÃO TEM LARANJAS NO CESTO.

» ESCREVA O NÚMERO **ZERO** SEGUINDO O PONTILHADO E AS SETAS.

» COMPARTILHE COM OS COLEGAS E COM O PROFESSOR: O QUE O NÚMERO ZERO INDICA?

UNIDADE 5 ✦ **FICHA 10**

NOME: _____

O CICLO DE VIDA DAS PLANTAS

UNIDADE 5 — FICHA 10

ENCARTE

» DESTAQUE AS PEÇAS DO ENCARTE E COLE-AS NA ORDEM QUE REPRESENTA O CRESCIMENTO DE UMA PLANTA.

UNIDADE 5 ◆ **FICHA 11**

NOME: _____

AS PLANTAS DA HORTA E AS PLANTAS DO JARDIM

UNIDADE 5
FICHA 11

» O QUE ESTÁ PLANTADO NO SOLO DA PRIMEIRA IMAGEM?
COMO É O NOME DESSE LUGAR?

» O QUE ESTÁ PLANTADO NO SOLO DA SEGUNDA IMAGEM?
COMO É O NOME DESSE LUGAR?

» FAÇA UM DESENHO COM MAIS COISAS QUE PODEMOS PLANTAR NO SOLO.

PREFERÊNCIA DAS CRIANÇAS DO MEU GRUPO

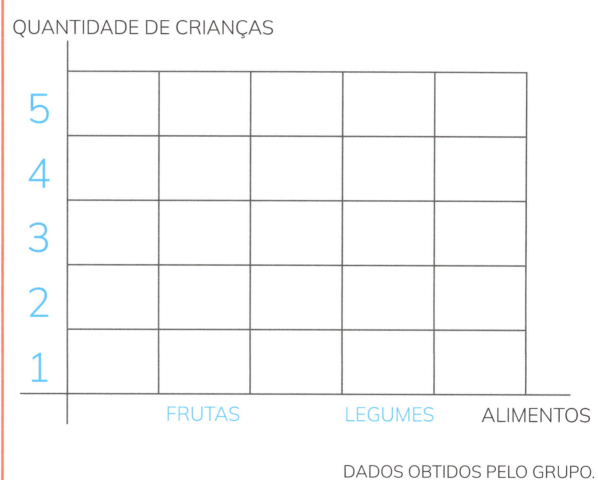

DADOS OBTIDOS PELO GRUPO.

UNIDADE 5 ✦ FICHA 12

NOME: _____

GRÁFICO

UNIDADE 5 · FICHA 12

» OBSERVE AS ILUSTRAÇÕES DESTA FICHA. COM UM LÁPIS VERMELHO CONTORNE AS FRUTAS, E COM UM LÁPIS AZUL CONTORNE OS LEGUMES.

» DO QUE VOCÊ GOSTA MAIS: DE LEGUMES OU DE FRUTAS?

» REÚNA-SE COM MAIS TRÊS COLEGAS. CADA UM VAI DIZER SE GOSTA MAIS DE LEGUMES OU DE FRUTAS.

» A CADA UM QUE DISSER QUE GOSTA MAIS DE FRUTAS, PINTE UM QUADRADINHO DA COLUNA **FRUTAS**.

» A CADA UM QUE DISSER QUE GOSTA MAIS DE LEGUMES, PINTE UM QUADRADINHO DA COLUNA **LEGUMES**.

» DEPOIS QUE O GRÁFICO ESTIVER PRONTO, RESPONDAM: O QUE GANHOU NO SEU GRUPO, AS FRUTAS OU OS LEGUMES?

UNIDADE 5 • FICHA 13

NOME: _____

OS ANIMAIS QUE VIVEM NO SOLO

UNIDADE 5
FICHA 13

» O QUE O MENINO ESTÁ FAZENDO?
» VOCÊ JÁ FEZ O MESMO QUE O MENINO ESTÁ FAZENDO?
» VOCÊ CONHECE OUTROS ANIMAIS QUE VIVEM NO SOLO?
» PINTE AS FORMIGAS DA IMAGEM DO MODO QUE MAIS GOSTAR.

OS GIRASSÓIS, DE VINCENT VAN GOGH.

UNIDADE 5 ◆ **FICHA 14**

NOME: _____

OS GIRASSÓIS, DE VINCENT VAN GOGH

UNIDADE 5 — FICHA 14

VINCENT VAN GOGH (1853-1890)

VINCENT WILLEM VAN GOGH ERA UM MENINO DE OLHOS GRANDES E CABELOS RUIVOS QUANDO NASCEU. ELE SE DAVA BEM COM OS CINCO IRMÃOS, MAS COM O IRMÃO THEO A RELAÇÃO ERA ESPECIAL. FOI ELE QUEM O AJUDOU FINANCEIRAMENTE DURANTE QUASE TODA A VIDA, PORQUE VINCENT NÃO GANHAVA DINHEIRO COM SEUS QUADROS. SUAS OBRAS SÓ FICARAM CONHECIDAS PELO MUNDO INTEIRO DEPOIS QUE ELE MORREU.

NA ESCOLA, VAN GOGH ERA UM GAROTO CALADO E OBSERVADOR. ELE GOSTAVA DE PASSEAR PELO CAMPO, OBSERVAR INSETOS, FLORES E PLANTAS E DESENHAR O QUE VIA.

VAN GOGH TRABALHOU COMO AJUDANTE EM UMA GALERIA DE ARTE, FOI PROFESSOR DE IDIOMAS E CHEGOU A TRABALHAR EM UMA MINA. ELE FICOU MUITO IMPRESSIONADO COM O SOFRIMENTO DOS TRABALHADORES DAS MINAS.

EM 1880 ELE RESOLVEU SE DEDICAR À PINTURA, DEIXANDO MAIS DE 900 QUADROS.

» DESENHE UM OU VÁRIOS GIRASSÓIS.
» DECORE OS GIRASSÓIS DO MODO QUE QUISER USANDO DIFERENTES MATERIAIS, COMO ALGODÃO, GIZ DE CERA, PAPEL PICADO E OUTROS QUE VOCÊ PREFERIR.

UNIDADE 5 ✦ FICHA 15

NOME: _____

MAIS PESADO QUE / MAIS LEVE QUE

UNIDADE 5
FICHA 15

ENCARTE

» DESTAQUE AS IMAGENS DO ENCARTE E COLE CADA PESSOA NA GANGORRA DE ACORDO COM QUEM É MAIS LEVE E MAIS PESADO.

» COMPARE AS PESSOAS DE CADA PAR, DIZENDO: **MAIS PESADO QUE** / **MAIS LEVE QUE**.

UNIDADE 5 ◆ **FICHA 16**

NOME: _____

RETÂNGULO

UNIDADE 5 — FICHA 16

» COMPLETE AS FIGURAS COM FORMA DE RETÂNGULO E PINTE-AS COM AS MESMAS CORES DAS IMAGENS.

» PINTE AS PARTES QUE FORAM DESENHADAS.

» DESENHE E PINTE UM OBJETO COM FORMA DE RETÂNGULO.

UNIDADE 5 ◆ **FICHA 17**

NOME: _____

NÚMERO 10

» CONTE AS FORMIGAS.
» PINTE O NÚMERO QUE REPRESENTA A QUANTIDADE DE FORMIGAS.
» ESCREVA O NÚMERO **10** SEGUINDO O PONTILHADO E AS SETAS.

UNIDADE 5 ◆ FICHA 18

NOME: _____

RECONHECER A IRRITAÇÃO

UNIDADE 5 · FICHA 18

- » CONVERSE COM OS COLEGAS E O PROFESSOR SOBRE O QUE ESTÁ SENDO MOSTRADO NA CENA.
- » OBSERVE O MENINO DENTRO DO GUARDA-ROUPA. O QUE ELE PARECE ESTAR SENTINDO?
- » COM OS COLEGAS, CRIE UMA HISTÓRIA QUE EXPLIQUE O QUE ACONTECEU E POR QUE O MENINO ESTÁ ASSIM.
- » AGORA, DESENHE UMA CENA DA HISTÓRIA QUE VOCÊ CRIOU COM SEUS COLEGAS PARA EXPLICAR O QUE ACONTECEU COM O MENINO.

UNIDADE 5 ◆ FICHA 19

NOME: _____

LISTA / NOMES DAS FLORES

» DESENHE NOS VASOS AS FLORES DESSA LISTA QUE VOCÊ PREFERE.
» RISQUE DA LISTA AS FLORES QUE VOCÊ DESENHOU.

ÁSPERO

LISO

UNIDADE 5 ✦ **FICHA 20**

NOME: _____

TEXTURAS: ÁSPERO E LISO

» COLE UMA LIXA OU PÃO RALADO MISTURADO COM COLA SOBRE A PRIMEIRA FOTOGRAFIA.

» COLE PAPEL CELOFANE SOBRE A SEGUNDA FOTOGRAFIA.

» PASSE SUAVEMENTE A MÃO SOBRE CADA UMA DAS COLAGENS E SINTA QUAL TEXTURA É MAIS AGRADÁVEL.

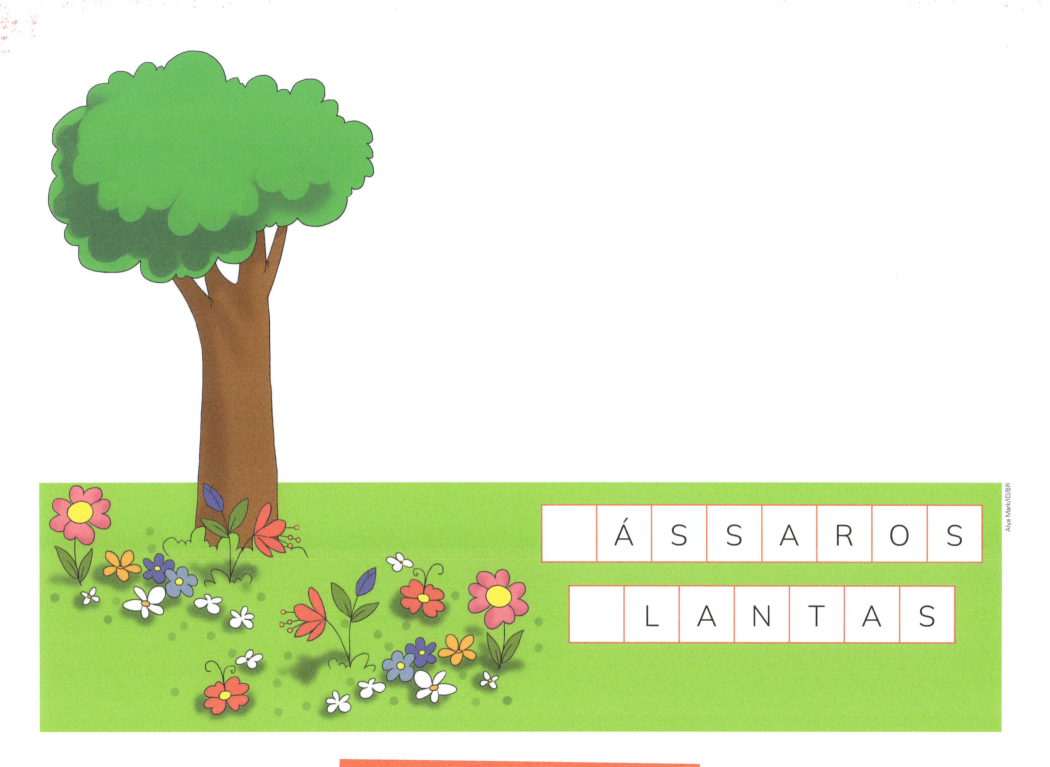

UNIDADE 5 ◆ **FICHA 21**

NOME: _____

LETRA P

UNIDADE 5
FICHA 21

» DESENHE PÁSSAROS E PLANTAS PARA DEIXAR O JARDIM MAIS BONITO.
» COMPLETE AS PALAVRAS COM A LETRA INICIAL.
» QUE LETRA VOCÊ USOU?
» LEIA AS PALAVRAS QUE VOCÊ COMPLETOU.

COMO CRESCI!

UNIDADE 5 ✦ **FICHA 22**

NOME: _____

DESENVOLVER A AUTONOMIA

UNIDADE 5
FICHA 22

» DIGA O QUE AS CRIANÇAS DAS FOTOS JÁ SABEM FAZER SOZINHAS.
» DESENHE ALGUMA COISA QUE VOCÊ NÃO SABIA FAZER SOZINHO E AGORA SABE.

UNIDADE 5 ◆ **FICHA 23**

NOME: _____

PERTO / LONGE

» PINTE A ABELHA QUE ESTÁ PERTO DA COLMEIA.
» CONTORNE A ABELHA QUE NÃO ESTÁ PERTO DA COLMEIA.
» FALE ONDE AS ABELHAS ESTÃO EM RELAÇÃO À COLMEIA ASSIM: **LONGE** E **PERTO**.

PLANTAS

UNIDADE 5 ◆ **FICHA 24**

NOME: _____

LETRA P

UNIDADE 5
FICHA 24

» RECORTE DE JORNAIS E REVISTAS DUAS IMAGENS DE PLANTAS QUE TENHAM A LETRA **P** NO NOME E COLE-AS NO QUADRO.

» COM A AJUDA DO ADULTO QUE CUIDA DE VOCÊ, ESCREVA O NOME DELAS.

UNIDADE 5 ◆ FICHA 25

NOME: _____

LINHA CURVA / LINHA RETA

UNIDADE 5
FICHA 25

» FAÇA UM DESENHO COM **LINHAS RETAS** E PINTE COMO PREFERIR.
» FAÇA UM DESENHO COM **LINHAS CURVAS** E PINTE COMO PREFERIR.
» EXPLIQUE QUE FORMAS APARECEM EM SEU DESENHO.

UNIDADE 5 ✦ FICHA 26

NOME: _____

A INTERFERÊNCIA DO SER HUMANO NO SOLO

UNIDADE 5
FICHA 26

» QUE VEÍCULOS VOCÊ VÊ NESSA IMAGEM?

» AS RUAS DA CIDADE SÃO IGUAIS AO SOLO ONDE PLANTAMOS AS PLANTAS?

» O QUE FOI FEITO EM CIMA DO SOLO PARA OS VEÍCULOS ANDAREM?

» DESENHE OUTRO LUGAR QUE O SER HUMANO CONSTRUIU EM CIMA DO SOLO E QUE VOCÊ CONHECE.

UNIDADE 5 ◆ **FICHA 27**

NOME: _____

SOPA DE PEDRAS

UNIDADE 5
FICHA 27

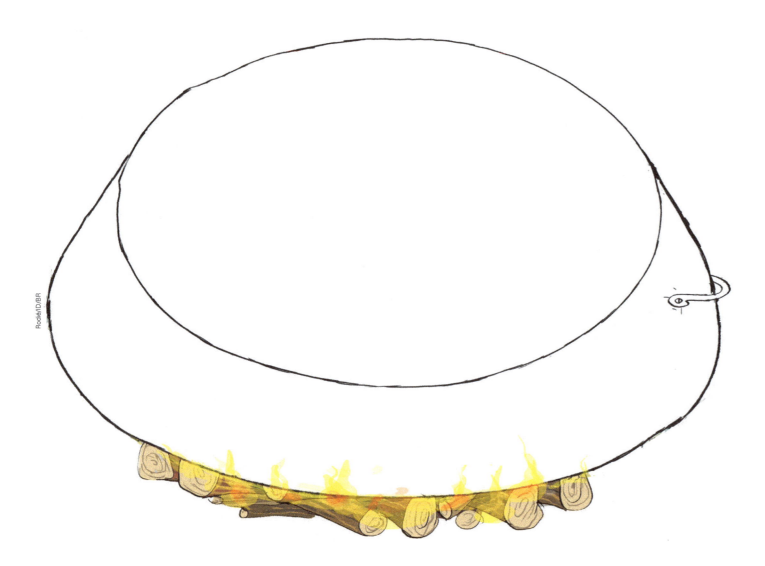

» PINTE A ROUPA DA PERSONAGEM PRINCIPAL DA HISTÓRIA.

» DESENHE NA PANELA OS INGREDIENTES QUE VOCÊ GOSTARIA DE COLOCAR EM UMA SOPA.

UNIDADE 5 ◆ **FICHA 28**

NOME: _____

O TEMPO ATMOSFÉRICO

UNIDADE 5
FICHA 28

A JANELINHA E O GUARDA-CHUVA

A JANELINHA FECHA QUANDO ESTÁ CHOVENDO.

A JANELINHA ABRE QUANDO O SOL ESTÁ APARECENDO.

FECHOU, ABRIU!

FECHOU, ABRIU, FECHOU!

O GUARDA-CHUVA ABRE QUANDO ESTÁ CHOVENDO.

O GUARDA-CHUVA FECHA QUANDO O SOL ESTÁ APARECENDO.

ABRIU, FECHOU!

ABRIU, FECHOU, ABRIU!

DOMÍNIO PÚBLICO.

ENCARTE

Débora Mini/ID/BR

» QUAL DAS IMAGENS MOSTRA UM DIA MUITO FRIO?

» DESTAQUE AS PEÇAS DO ENCARTE E COLE-AS NA IMAGEM QUE MOSTRA A SITUAÇÃO DO TEMPO QUE COMBINA COM AS ROUPAS DO MENINO.

» OUÇA A MÚSICA E CANTE COM O PROFESSOR E OS COLEGAS.

UNIDADE 5 ✦ FICHA 29

NOME: _____

A PRESERVAÇÃO DO SOLO

UNIDADE 5
FICHA 29

» QUAIS SÃO OS LUGARES MOSTRADOS NAS FOTOS? FALE O QUE VOCÊ OBSERVA EM RELAÇÃO A ESSES LUGARES.

» FAÇA UM **X** NAS FOTOS EM QUE O SOLO PODE ESTAR POLUÍDO.

» AGORA, DESENHE O QUE DEVE SER FEITO PARA QUE O SOLO DESSES LUGARES NÃO SEJA POLUÍDO.

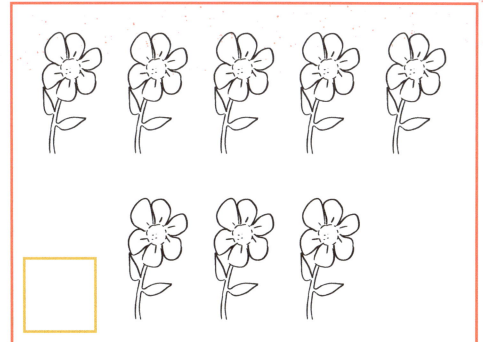

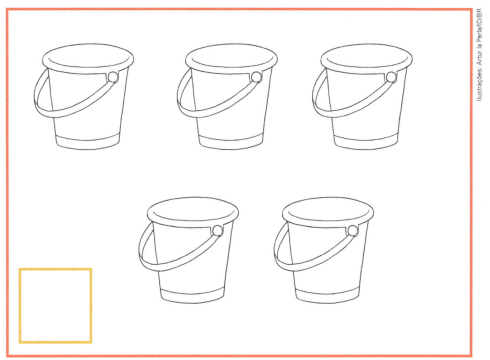

UNIDADE 5 ◆ **FICHA 30**

NOME: _____

NÚMEROS DE 1 A 10

UNIDADE 5 — FICHA 30

» ESCREVA O NÚMERO DE ACORDO COM A QUANTIDADE DE ELEMENTOS EM CADA QUADRO.

» PINTE OS ELEMENTOS DE CADA GRUPO DA MANEIRA QUE QUISER.

» AGORA, FAÇA UM DESENHO BEM BONITO DE SI MESMO REGANDO UM JARDIM FLORIDO CHEIO DE ANIMAIS E OUTROS ELEMENTOS DA NATUREZA.

UNIDADE 5 ✦ FICHA 31

NOME: _____

VERDADEIRO OU FALSO (SÉRIE LÓGICA)

UNIDADE 5
FICHA 31

      ___ ___ ___

» PINTE O QUADRINHO DE AZUL SE FOR VERDADEIRO E DE VERMELHO SE FOR FALSO:
  › OS FEIJÕES MÁGICOS DE JOÃO FORAM JOGADOS NO SOLO E A PLANTA CRESCEU TANTO QUE CHEGOU AO CÉU.
  › JOÃO GANHOU UMA GALINHA QUE BOTAVA OVOS DE OURO.
  › O PATINHO FEIO SEGUE SEUS IRMÃOS.
  › O PATINHO FEIO ERA MAIOR QUE SEUS IRMÃOS.
» CONTINUE A SEQUÊNCIA DESENHANDO E PINTANDO AS FIGURAS.

FICHA FINAL — UNIDADE 5 — FICHA 32

O QUE APRENDEMOS?

O QUE HÁ NO SOLO E NA NATUREZA?

QUEM TEM ME AJUDADO?

NOME: _____

» DESENHE NO QUADRO VERDE ELEMENTOS QUE EXISTEM NO SOLO E NA NATUREZA.

» DESENHE NO QUADRO AZUL UM COLEGA QUE TENHA LHE AJUDADO.

UNIDADE 6

NOME: _____

OS ANIMAIS

NOME: _____

QUE ANIMAIS VOCÊ CONHECE?

» SOBRE O QUE ESTÁ FALANDO LARA, A MENINA QUE ESTÁ EM PÉ?

» QUAL É O ANIMAL DE ESTIMAÇÃO DE LARA? ESCREVA NO QUADRO, COM A AJUDA DO PROFESSOR.

» SOBRE O TAPETE, HÁ VÁRIOS ANIMAIS DE BRINQUEDO. DE QUAL VOCÊ MAIS GOSTA? FALE O QUE SABE SOBRE ELE.

» SE O MENINO QUE ESTÁ SEGURANDO UM BALÃO O SOLTASSE, O QUE ACONTECERIA?

» QUE ANIMAIS VOCÊ CONHECE? DESENHE OS QUE VOCÊ ACHA MAIS INTERESSANTES.

UNIDADE 6 ♦ FICHA 2

NOME: _____

OS ANIMAIS DOMESTICADOS E OS ANIMAIS SILVESTRES

UNIDADE 6
FICHA 2

ENCARTE

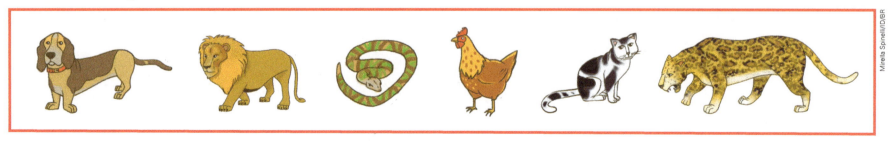

» DESTAQUE OS ANIMAIS DO ENCARTE E FALE O NOME DE CADA UM DELES.
» COLE OS ANIMAIS QUE VIVEM NO MESMO AMBIENTE EM QUE A MENINA E O PAI DELA MORAM.

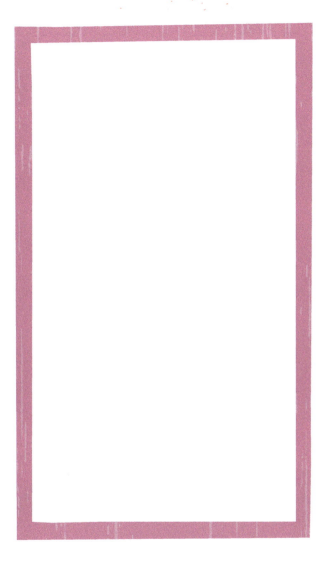

UNIDADE 6 ✦ **FICHA 3**

NOME: _____

ANTES / DEPOIS

ENCARTE

» DESTAQUE AS IMAGENS DO ENCARTE E COLE-AS NA SEQUÊNCIA CORRETA.

» CONTE A HISTÓRIA DO COMEÇO AO FIM DIZENDO **ANTES** E **DEPOIS**.

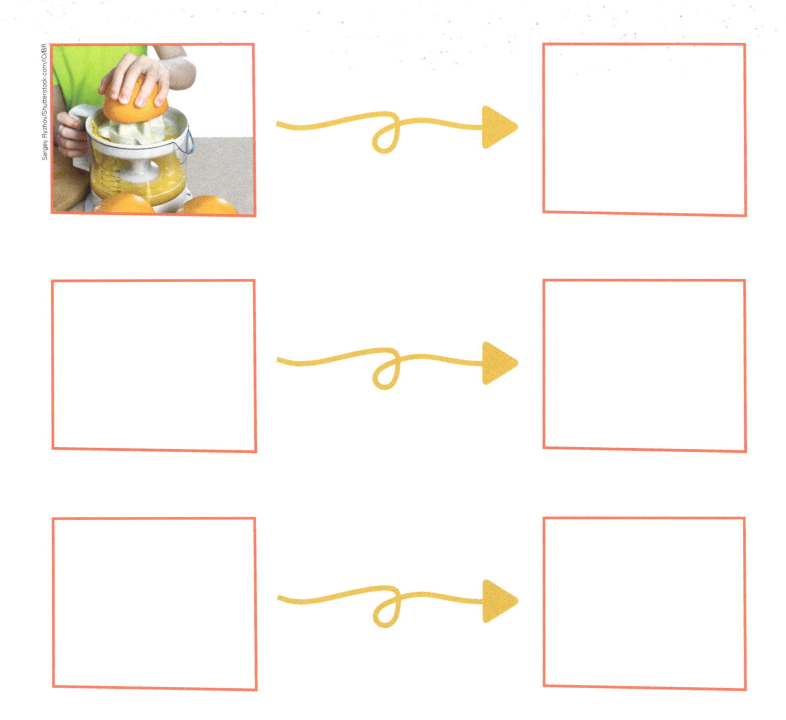

UNIDADE 6 ◆ FICHA 4

NOME: _____

SE..., ENTÃO...

UNIDADE 6
FICHA 4

ENCARTE

» DESTAQUE AS FOTOGRAFIAS DO ENCARTE E COLE-AS NA ORDEM CORRETA.

» EXPLIQUE A ORDEM DAS IMAGENS ASSIM: SE EU ESPREMER AS LARANJAS, ENTÃO TEREI UM SUCO DE LARANJA.

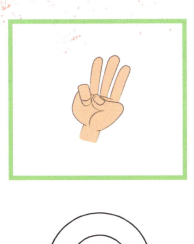 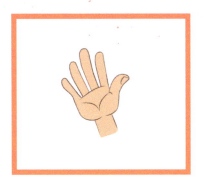  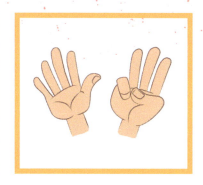 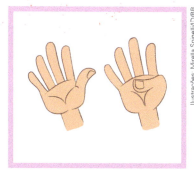

3 5 6 8 9

TRÊS   **CINCO**   **SEIS**   **OITO**   **NOVE**

BORBOLETAS   LIBÉLULAS   ABELHAS   JOANINHAS   GRILOS

UNIDADE 6 ✦ **FICHA 5**

NOME: _____

NÚMEROS DE 1 A 9

» PINTE OS NÚMEROS NO CENTRO DA PÁGINA.

» CONTE QUANTOS DEDOS AS MÃOS ESTÃO MOSTRANDO EM CADA QUADRO. LIGUE-AS AO NÚMERO CORRESPONDENTE.

» CONTE QUANTOS ELEMENTOS HÁ EM CADA GRUPO E LIGUE-OS AO NÚMERO CORRESPONDENTE.

UNIDADE 6 ◆ FICHA 6

NOME: _____

OS ANIMAIS SILVESTRES

TRÊS TIGRES TRISTES

TRÊS PRATOS DE TRIGO
PARA TRÊS TIGRES TRISTES.

DOMÍNIO PÚBLICO.

UNIDADE 6
FICHA 6

» DIGA O NOME DOS ANIMAIS QUE ESTÃO SEM COR.
» FAÇA UM **X** NOS ANIMAIS QUE NÃO APARECEM NA PAISAGEM.
» PINTE OS ANIMAIS QUE APARECEM NA PAISAGEM.
» REPITA O TRAVA-LÍNGUA QUE O PROFESSOR VAI LER.

UNIDADE 6 ✦ **FICHA 7**

NOME: _____

APRENDER A SE ACALMAR

UNIDADE 6
FICHA 7

» ESCOLHA TRÊS CORES QUE VOCÊ GOSTA DE VER QUANDO QUER FICAR CALMO. PINTE A MANDALA COM ESSAS CORES.

UNIDADE 6 ◆ **FICHA 8**

NOME: _____

LETRA L

UNIDADE 6
FICHA 8

» FALE O NOME DOS ANIMAIS DAS FOTOS.
» ESCREVA OS NOMES DESSES ANIMAIS NOS QUADROS.
» DE QUAL DESSES ANIMAIS VOCÊ MAIS GOSTA?

UNIDADE 6 ◆ FICHA 9

NOME: _____

QUADRADO / RETÂNGULO

ENCARTE

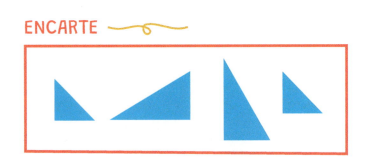

» DESTAQUE AS PEÇAS DO ENCARTE E COLE-AS PARA FORMAR AS FIGURAS.
» CONTORNE O RETÂNGULO COM GIZ DE CERA.

UNIDADE 6 ✦ FICHA 10

NOME: _____

CLASSIFICAR POR FORMAS E CORES

UNIDADE 6
FICHA 10

» POR QUE FOI FEITO UM **X** NO QUADRADO AZUL? EXPLIQUE DA SEGUINTE FORMA: O QUADRADO AZUL FOI RISCADO PORQUE NÃO É UM...

» FAÇA UM **X** NAS FIGURAS QUE NÃO DEVERIAM ESTAR EM CADA UM DOS OUTROS GRUPOS.

» DEPOIS, EXPLIQUE DA MESMA FORMA POR QUE ESSAS OUTRAS FIGURAS FORAM MARCADAS COM UM **X**.

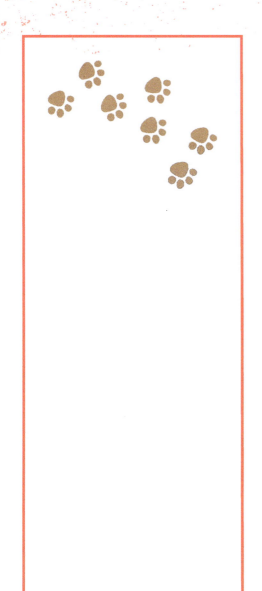
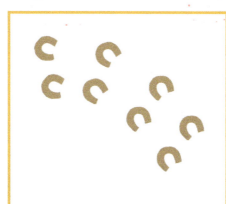

UNIDADE 6 ◆ FICHA 11

NOME: _____

AS PEGADAS DOS ANIMAIS

UNIDADE 6 — FICHA 11

ENCARTE

» DESTAQUE AS IMAGENS DO ENCARTE E FALE O NOME DE CADA UM DOS ANIMAIS.
» ABAIXO DE CADA PEGADA, COLE A FOTO DO ANIMAL CORRESPONDENTE.
» AGORA, TIRE OS SAPATOS, FAÇA SUA PEGADA EM UMA FOLHA E COLE-A AQUI.

UNIDADE 6 ◆ **FICHA 12**

NOME: _____

MAIS PERTO QUE / MAIS LONGE QUE

UNIDADE 6
FICHA 12

» PINTE DE VERMELHO A PIPA QUE ESTÁ MAIS LONGE DA MENINA.
» PINTE DE AZUL A PIPA QUE ESTÁ MAIS PERTO DA MENINA.
» COMPARE AS DISTÂNCIAS DIZENDO: **MAIS PERTO QUE** / **MAIS LONGE QUE**.

UNIDADE 6 ◆ **FICHA 13**

NOME: _____

PRIMEIRO / ÚLTIMO

» FAÇA UM **X** NO QUADRINHO DA CRIANÇA QUE É A ÚLTIMA DA FILA.

» DESENHE OUTRA CRIANÇA ATRÁS DA ÚLTIMA.

» PINTE DE AZUL O QUADRINHO ABAIXO DA CRIANÇA QUE É AGORA A ÚLTIMA DA FILA.

» PINTE DE AMARELO O QUADRINHO DO PRIMEIRO DA FILA.

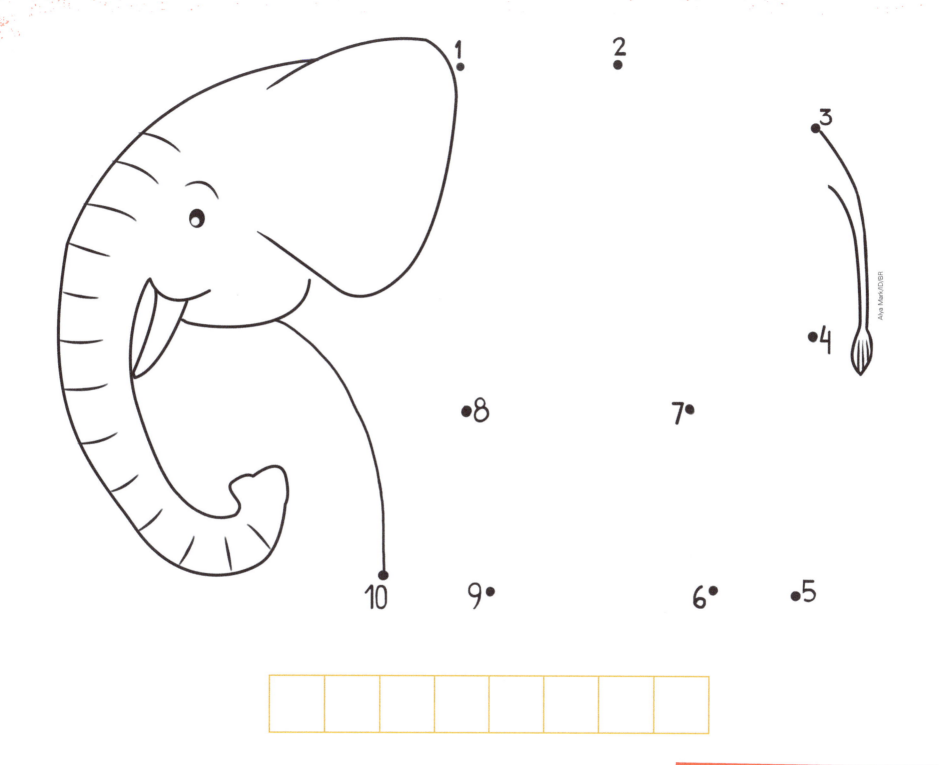

UNIDADE 6 ✦ FICHA 14

NOME: _____

NÚMEROS DE 1 A 10 / LIGA-PONTOS

» LIGUE OS PONTOS DE **1** A **10**.

» PINTE O ANIMAL COMO PREFERIR.

» COMPLETE OS QUADRINHOS COM AS LETRAS QUE FORMAM O NOME DO ANIMAL.

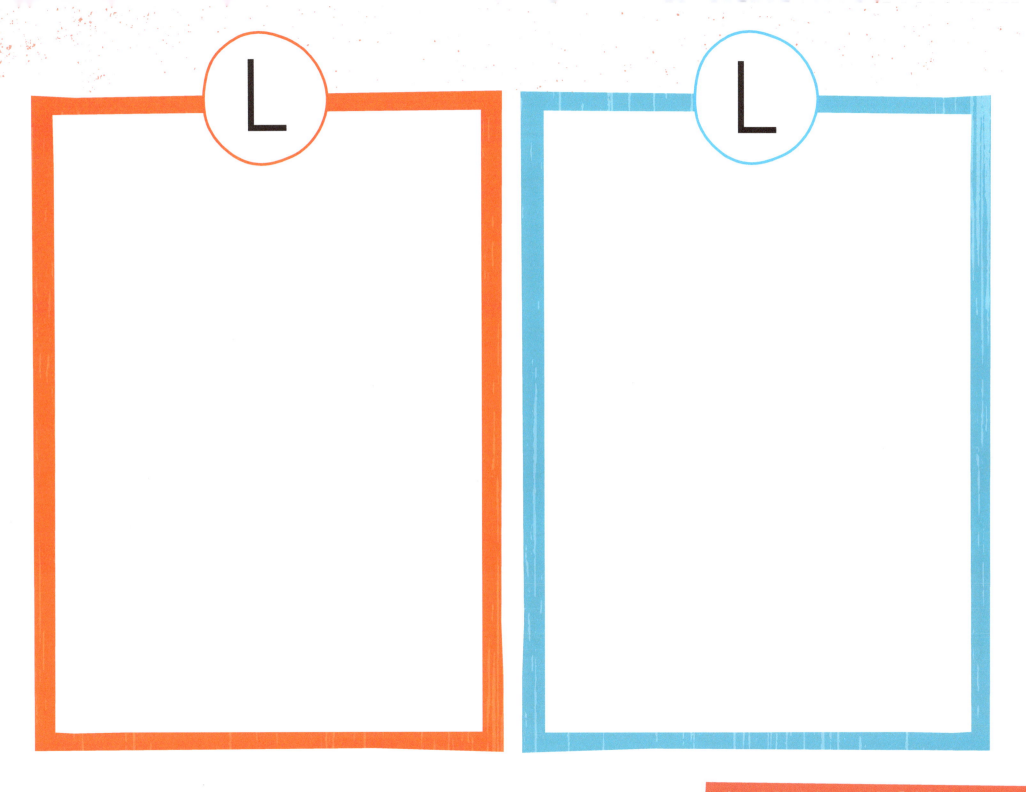

UNIDADE 6 ✦ FICHA 15

NOME: _____

LETRA L

UNIDADE 6
FICHA 15

ENCARTE

» DESTAQUE DO ENCARTE AS FOTOS DOS ANIMAIS QUE TÊM A LETRA **L** NO NOME.

» NO QUADRO VERMELHO, COLE OS ANIMAIS QUE TÊM A LETRA **L** NO INÍCIO DO NOME.

» NO QUADRO AZUL, COLE OS ANIMAIS QUE TÊM A LETRA **L** NO MEIO DO NOME.

PELOS

PENAS

PELE LISA

ESCAMAS

UNIDADE 6 ◆ FICHA 16

NOME: _____

O QUE COBRE O CORPO DOS ANIMAIS

UNIDADE 6
FICHA 16

» CONTORNE O ANIMAL QUE NÃO FAZ PARTE DE CADA GRUPO.
» COM GIZ DE CERA, LIGUE ESSE ANIMAL AO GRUPO AO QUAL PERTENCE.

ELEFANTE DA TERRA, DE ANTHONY HEYWOOD.

UNIDADE 6 ♦ **FICHA 17**

NOME: _____

ELEFANTE DA TERRA, DE ANTHONY HEYWOOD

UNIDADE 6 — FICHA 17

ANTHONY HEYWOOD (1952-)

O ESCULTOR ANTHONY HEYWOOD NASCEU EM HARTLEPOOL, UMA CIDADE DA INGLATERRA. ANTHONY SEMPRE FOI MUITO PREOCUPADO COM A PRESERVAÇÃO DA NATUREZA, PRINCIPALMENTE COM OS ANIMAIS. EM SEU TRABALHO ARTÍSTICO, ELE UNE SEU AMOR PELA ESCULTURA E SUA VONTADE DE AJUDAR NA LUTA PELA PRESERVAÇÃO DO MEIO AMBIENTE.

EM SUAS OBRAS, PODEMOS ENCONTRAR OBJETOS QUE VIRARIAM LIXO, COMO ITENS DOMÉSTICOS E BRINQUEDOS QUEBRADOS, ROUPAS RASGADAS, JORNAL VELHO, ETC.

PARA PROTESTAR CONTRA A CAÇA DE ELEFANTES, ELE FEZ ESCULTURAS DESSES ANIMAIS E AS ESPALHOU POR DIVERSOS LOCAIS.

HÁ PESSOAS QUE MATAM ELEFANTES PARA USAR OS DENTES DELES, QUE SÃO DE MARFIM, NA FABRICAÇÃO DE JOIAS.

» QUE OBJETOS VOCÊ RECONHECE NA ESCULTURA?
» RASGUE FOLHAS DE JORNAIS E REVISTAS E COLE OS PEDAÇOS NO ELEFANTE DESENHADO.
» PINTE SUA COLAGEM COM VERNIZ, PARA QUE O TRABALHO FIQUE BRILHANTE.

UNIDADE 6 ◆ FICHA 18

NOME: _____

UNIDADE 6 · FICHA 18

RECONHECER A PREOCUPAÇÃO E A ALEGRIA

» OBSERVE AS CENAS E PINTE AS MOLDURAS DAS IMAGENS QUE MOSTRAM ATITUDES BOAS PARA COM AS PLANTAS E AS ABELHAS.

» OBSERVE A ILUSTRAÇÃO. O QUE VOCÊ IMAGINA QUE DENISE E A MÃE DELA ESTÃO SENTINDO? O QUE PODE TER ACONTECIDO?

» QUAL É A EXPRESSÃO DE DENISE NA ILUSTRAÇÃO DO QUADRO? FAÇA UM DESENHO QUE MOSTRE O QUE PODERIA TÊ-LA DEIXADO ALEGRE.

UNIDADE 6 ◆ FICHA 19

NOME: _____

CONVITE

UNIDADE 6 — FICHA 19

ENCARTE

» COMPLETE O CONVITE. ESCREVA NO QUADRO VERMELHO O NOME DA PESSOA QUE VOCÊ GOSTARIA DE CONVIDAR.

» DESTAQUE DO ENCARTE A IMAGEM DO PASSEIO QUE VOCÊ GOSTARIA DE FAZER COM SEU COLEGA E COLE-A NO QUADRO AZUL.

» ESCREVA SEU NOME NO QUADRO VERDE.

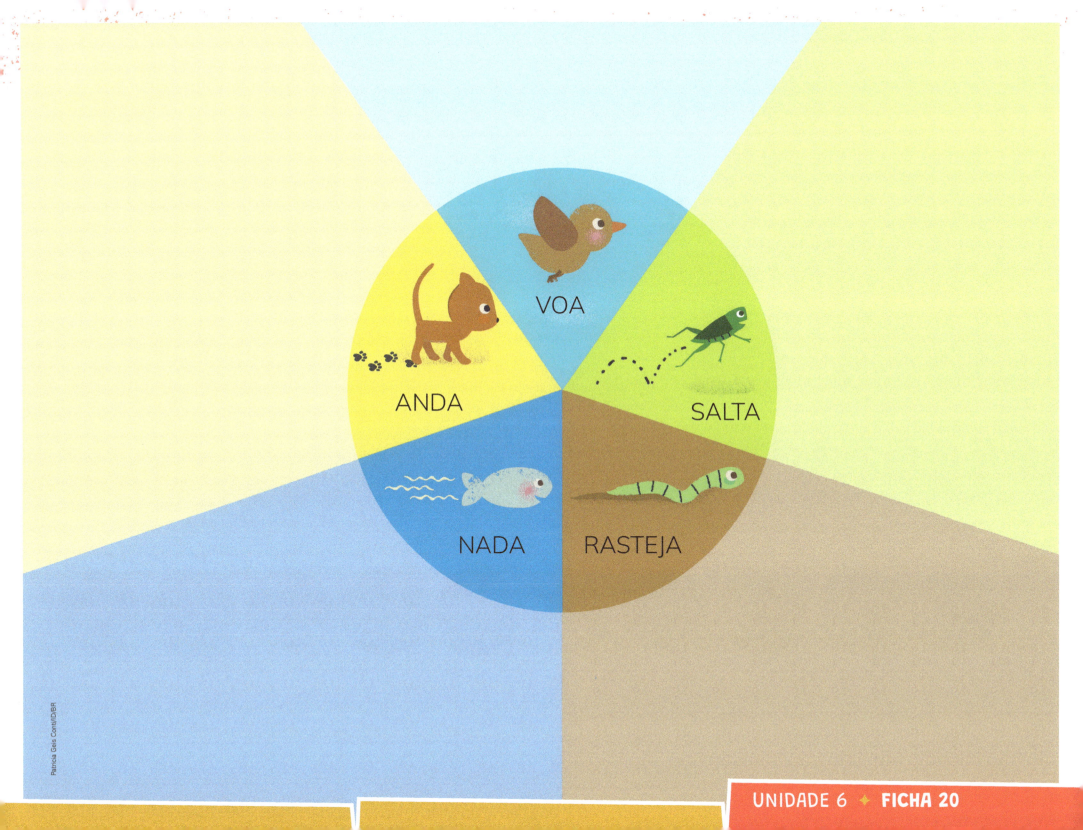

UNIDADE 6 • FICHA 20

NOME: _____

AS FORMAS DE LOCOMOÇÃO DOS ANIMAIS

UNIDADE 6 — FICHA 20

ENCARTE

» DESTAQUE AS IMAGENS DO ENCARTE E DIGA O NOME DE CADA ANIMAL.

» AGORA, COLE AS FOTOS DOS ANIMAIS NOS ESPAÇOS CORRESPONDENTES, CONFORME O MODO COMO ELES SE LOCOMOVEM.

UNIDADE 6 ◆ FICHA 21

NOME: _____

RECONHECER O MEDO

UNIDADE 6 · FICHA 21

» OBSERVE A CENA. DEPOIS, PINTE O ANIMAL QUE PROVAVELMENTE DEIXOU AS CRIANÇAS COM MEDO.
» VOCÊ TEM MEDO DESSE ANIMAL?
» DESENHE VOCÊ EM UMA SITUAÇÃO EM QUE ESTEJA COM MEDO. DEPOIS, EXPLIQUE PARA A TURMA: POR QUE ESSA SITUAÇÃO AMEDRONTA VOCÊ?

UNIDADE 6 ◆ FICHA 22

NOME: _____

MAIS RÁPIDO QUE / MAIS LENTO QUE

UNIDADE 6 — FICHA 22

» PINTE DE AMARELO O QUADRINHO DO ANIMAL MAIS RÁPIDO DE CADA DUPLA.

» COMPARE OS ANIMAIS DIZENDO: **MAIS RÁPIDO QUE** / **MAIS LENTO QUE**.

ANTES

AGORA

DEPOIS

UNIDADE 6 ◆ FICHA 23

NOME: _____

ANTES / AGORA / DEPOIS

UNIDADE 6
FICHA 23

» DESENHE NO QUADRO VERMELHO O QUE VOCÊ FEZ ANTES DE REALIZAR ESTAS ATIVIDADES COM A AJUDA DO ADULTO QUE CUIDA DE VOCÊ.

» DESENHE NO QUADRO VERDE O QUE VOCÊ FARÁ DEPOIS QUE TERMINAR ESTAS ATIVIDADES.

» CONTE A HISTÓRIA ORDENADAMENTE USANDO AS PALAVRAS **ANTES**, **AGORA** E **DEPOIS**.

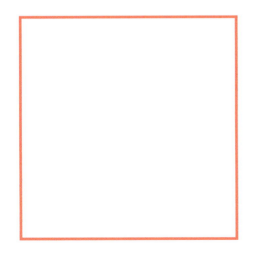 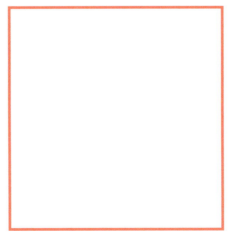 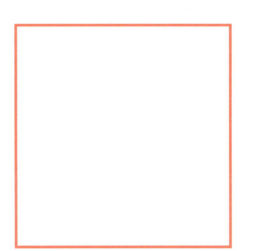 

PRIMEIRO		SEGUNDO		TERCEIRO		QUARTO

UNIDADE 6 ◆ FICHA 24

NOME: _____

SEQUÊNCIA TEMPORAL

UNIDADE 6
FICHA 24

ENCARTE

» DESTAQUE AS FIGURAS DO ENCARTE E COLE-AS NA SEQUÊNCIA EM QUE OS FATOS ACONTECEM.

» CONTE A HISTÓRIA USANDO AS PALAVRAS **PRIMEIRO**, **SEGUNDO**, **TERCEIRO** E **QUARTO**.

UNIDADE 6 ✦ FICHA 25

NOME: _____

LETRA L

UNIDADE 6
FICHA 25

LILI E LALÁ

LAVAM LOUÇA,
LEVAM LIXO
E LEVAM LENHA,
SEMPRE LADO A LADO.
E NESSE LAVA-QUE-LAVA,
E NESSE LAVA-QUE-LEVA,
LEVAM A VIDA
E LEVAM VIDA PRA VILA.

DOMÍNIO PÚBLICO.

» ESCREVA O NOME DE CADA ANIMAL NO QUADRO CORRESPONDENTE.

» CONTORNE O NOME DO ANIMAL DE QUE VOCÊ TEM MAIS MEDO.

» POR FIM, ACOMPANHE A LEITURA DO POEMA E REPITA CADA VERSO COM O PROFESSOR. FAÇA UM DESENHO PARA ILUSTRAR O POEMA.

UNIDADE 6 ◆ FICHA 26

NOME: _____

LINHAS ABERTAS / LINHAS FECHADAS

UNIDADE 6
FICHA 26

» PINTE DENTRO DAS LINHAS QUE ESTÃO **FECHADAS**.
» FECHE AS LINHAS QUE ESTÃO **ABERTAS**.

UNIDADE 6 ◆ FICHA 27

NOME: _____

NÚMEROS DE 1 A 10

UNIDADE 6
FICHA 27

» CONTE OS ELEMENTOS NA IMAGEM E ESCREVA OS NÚMEROS NOS QUADRINHOS CORRESPONDENTES.

» FAÇA UM **X** NO QUE HÁ DE ESTRANHO NA IMAGEM.

UNIDADE 6 ◆ **FICHA 28**

NOME: _____

O LEÃO E O RATO

UNIDADE 6
FICHA 28

ENCARTE

» OUÇA A HISTÓRIA QUE O PROFESSOR VAI CONTAR.

» DESTAQUE AS PEÇAS DO ENCARTE E COLOQUE-AS NA ORDEM DOS ACONTECIMENTOS DA HISTÓRIA. DEPOIS, COLE-AS NESSA ORDEM.

» CONTE A HISTÓRIA USANDO **PRIMEIRO**, **DEPOIS** E **POR ÚLTIMO**.

UNIDADE 6 ◆ FICHA 29

NOME: _____

OS CUIDADOS COM OS ANIMAIS

ENCARTE

» DESTAQUE AS FOTOS DO ENCARTE E COLE NO QUADRO AQUELAS QUE DEMONSTRAM CUIDADO COM OS ANIMAIS.

» VOCÊ TEM UM ANIMAL DE ESTIMAÇÃO? QUAL? CONTE COMO VOCÊ CUIDA DELE.

UNIDADE 6 ◆ FICHA 30

NOME: _____

ANIMAIS EXTINTOS: OS DINOSSAUROS

UNIDADE 6
FICHA 30

ENCARTE

» DESTAQUE AS PEÇAS DO ENCARTE E CONVERSE COM OS COLEGAS: VOCÊS CONHECEM OS ANIMAIS DAS FOTOGRAFIAS?

» COLE AS PEÇAS NO QUADRO QUE TEM A SOMBRA CORRESPONDE À DO ANIMAL RETRATADO.

» FALE PARA OS COLEGAS E O PROFESSOR DE QUAL DESSES ANIMAIS VOCÊ MAIS GOSTOU E EXPLIQUE POR QUÊ.

UNIDADE 6 • FICHA 31

NOME: _____

CACHINHOS DOURADOS (SÉRIE LÓGICA)

UNIDADE 6 — FICHA 31

    ___ ___ ___

ENCARTE

» DESTAQUE AS PEÇAS DO ENCARTE E ORGANIZE-AS NA FICHA ENQUANTO O PROFESSOR CONTA A HISTÓRIA.

» CONTINUE A SEQUÊNCIA DESENHANDO E PINTANDO AS FIGURAS.

O QUE APRENDEMOS?

FICHA FINAL — UNIDADE 6 — FICHA 32

O QUE VOCÊ MAIS GOSTOU DE APRENDER SOBRE OS ANIMAIS?

Ilustrações: Jordi Sales Roqueta/ID/BR

NOME: _____

FICHA FINAL — UNIDADE 6 — FICHA 32

» DESENHE O QUE VOCÊ MAIS GOSTOU DE APRENDER SOBRE OS ANIMAIS. DEPOIS, DESENHE UM ANIMAL QUE VOCÊ ACHA MUITO INTERESSANTE.

ENCARTES

UNIDADE 6 • FICHA 30

UNIDADE 4 • FICHA 5

UNIDADE 4 • FICHA 23

UNIDADE 4 • FICHA 11

UNIDADE 4 • FICHA 20

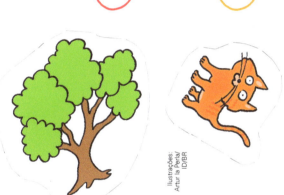

UNIDADE 4 • FICHA 2

UNIDADE 5 • FICHA 28

UNIDADE 5 • FICHA 6

UNIDADE 6 • FICHA 19

UNIDADE 5 • FICHA 4

UNIDADE 6 • FICHA 11

UNIDADE 6 • FICHA 2

UNIDADE 5 • FICHA 10

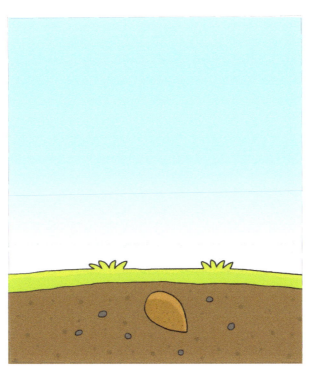

UNIDADE 6 • FICHA 29

UNIDADE 6 • FICHA 20

UNIDADE 6 • FICHA 31

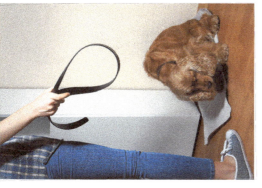

UNIDADE 6 • FICHA 4

UNIDADE 6 • FICHA 28

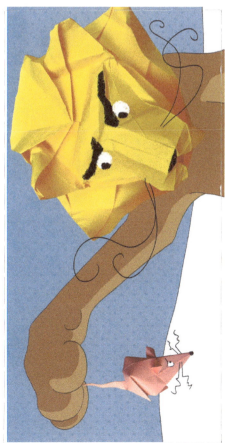

COLEÇÃO
ALECRIM 2
educação infantil
PARTE 1

Organizadora: SM Educação
Obra coletiva concebida, desenvolvida e produzida por SM Educação.
São Paulo, 3ª edição, 2022

Projeto editorial - SM © SM
© SM Educação
Todos os direitos reservados

Direção editorial Cláudia Carvalho Neves
Gerência editorial Lia Monguilhott Bezerra
Gerência de *design* e produção André Monteiro
Autoria Goyi Martín Fernández, Isabel Duran, Javier Bernabeu, Nieves Herrero Parral, Rosa M. Roca, Teresa Abellán
Edição executiva Valéria Vaz
Edição: Isis Ridão Teixeira, Mírian Cristina de Moura Garrido
Assistência de edição: Marina Farias Rebelo
Suporte editorial: Fernanda de Araújo Fortunato
Coordenação de preparação e revisão Cláudia Rodrigues do Espírito Santo
Preparação: Ivana Alves Costa
Revisão: Beatriz Nascimento, Luciana Chagas
Coordenação de *design* Gilciane Munhoz
***Design*:** Paula Maestro, Lissa Sakajiri
Coordenação de arte Andressa Fiorio
Edição de arte: Rosangela Cesar de Lima
Assistência de arte: Matheus Taioque
Coordenação de iconografia Josiane Laurentino
Pesquisa iconográfica: Beatriz Micsik
Tratamento de imagem: Marcelo Casaro
Capa Paula Maestro
Ilustração de capa Isabela Santos
Projeto gráfico Ami Comunicação & Design
Pré-impressão Américo Jesus
Fabricação Alexander Maeda
Impressão Forma Certa Gráfica Digital

Dados Internacionais de Catalogação na Publicação (CIP)
(Câmara Brasileira do Livro, SP, Brasil)

Alecrim 2 : educação infantil / organizadora SM Educação ; obra coletiva concebida, desenvolvida e produzida por SM Educação. -- 3. ed. -- São Paulo : Edições SM, 2022.

ISBN 978-85-418-2953-3 (aluno)
ISBN 978-85-418-2952-6 (professor)

1. Atividades e exercícios (Educação infantil)
2. Educação infantil

22-110811   CDD-372.21

Índices para catálogo sistemático:
1. Educação infantil 372.21

Cibele Maria Dias – Bibliotecária – CRB-8/9427

3ª edição, 2022
2ª impressão, Setembro 2023

SM Educação
Avenida Paulista, 1842 – 18º andar
Bela Vista 01311-200 São Paulo SP Brasil
Tel. 11 2111-7400
atendimento@grupo-sm.com
www.grupo-sm.com/br

BOAS-VINDAS!

OLÁ, CRIANÇAS, PROFESSORAS, PROFESSORES E FAMILIARES!

É COM MUITO **CARINHO** E **CUIDADO** QUE TRAZEMOS A VOCÊS ESTA EDIÇÃO DA **COLEÇÃO ALECRIM**.

ELA FOI CRIADA PARA APOIAR E INCENTIVAR O **DESENVOLVIMENTO INTEGRAL** DAS CRIANÇAS QUE ESTÃO NA **EDUCAÇÃO INFANTIL**.

POR AQUI, VOCÊS ENCONTRARÃO PROPOSTAS DE BRINCADEIRAS, CONVERSAS, CANTIGAS, POEMAS, DESAFIOS, EXPERIMENTOS E MUITAS HISTÓRIAS DIVERTIDAS E EMOCIONANTES.

ACREDITAMOS QUE, POR MEIO DAS ATIVIDADES PLANEJADAS:

- » AS CRIANÇAS SERÃO INCENTIVADAS A SE DESENVOLVER FÍSICA, COGNITIVA E EMOCIONALMENTE.
- » PROFESSORAS, PROFESSORES, FAMILIARES E DEMAIS ADULTOS QUE CUIDAM DAS CRIANÇAS SERÃO ENVOLVIDOS NO PROCESSO EDUCATIVO DE MODO SIGNIFICATIVO E CUIDADOSO.

NOSSO PROJETO EDUCACIONAL INCLUI TODA A COMUNIDADE ESCOLAR, CONTRIBUINDO PARA QUE AS CRIANÇAS DA EDUCAÇÃO INFANTIL FAÇAM DESCOBERTAS INCRÍVEIS E CONHEÇAM MELHOR O MUNDO QUE AS CERCA. ASSIM, ELAS COMPREENDERÃO, DESDE CEDO, A IMPORTÂNCIA DE CUIDARMOS DO PLANETA E DAQUELES QUE CONVIVEM CONOSCO.

VAMOS LÁ?

EQUIPE EDITORIAL

CONHEÇA A COLEÇÃO: AS FICHAS DE TRABALHO

CADA LIVRO PRINCIPAL É DIVIDIDO EM PARTES CHAMADAS **UNIDADES**.

NO VOLUME 2, CADA UNIDADE APRESENTA 32 **FICHAS DE TRABALHO**.

AS FICHAS PODEM SER **DESTACADAS** PARA FACILITAR O SEU MANUSEIO.

CAPA
UTILIZE ESTA CAPA PARA ORGANIZAR OS SEUS TRABALHOS NO FINAL DO ESTUDO DA UNIDADE.

FICHA DESTACÁVEL

FRENTE

VERSO

FICHA DE TRABALHO
AS FICHAS APRESENTAM ATIVIDADES PARA VOCÊ DESENVOLVER DURANTE A AULA OU COM A AJUDA DAS PESSOAS ADULTAS QUE CUIDAM DE VOCÊ.

FRENTE

VERSO

FICHA INICIAL
A PRIMEIRA FICHA DA UNIDADE RETRATA UMA SALA DE AULA E APRESENTA O TEMA QUE SERÁ TRABALHADO.

FRENTE

VERSO

FICHA FINAL
NA ÚLTIMA FICHA DA UNIDADE, VOCÊ VAI FAZER UMA RETOMADA DO QUE APRENDEU.

CONHEÇA A COLEÇÃO: OS COMPLEMENTOS

 ATIVIDADES NO VERSO DA FICHA DE TRABALHO

 ATIVIDADES ASSÍNCRONAS (FORA DO HORÁRIO DE AULA)

ÍCONES

ENCARTES

CADA LIVRO PRINCIPAL TEM MATERIAIS DESTACÁVEIS QUE APRESENTAM CORES E FORMAS VARIADAS. ELES SERÃO USADOS EM ATIVIDADES ESPECÍFICAS.

LIVROS DE CONTOS

DOIS LIVROS PARA VOCÊ OUVIR, LER, CONTAR E RECONTAR HISTÓRIAS.

PROJETO *PLANETA VERDE*

DOIS LIVROS PARA VOCÊ CONHECER UM POUCO MAIS O MUNDO À SUA VOLTA E REFLETIR SOBRE FORMAS DE RESPEITAR E PRESERVAR O MEIO AMBIENTE.

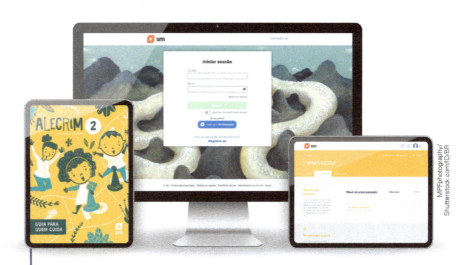

MATERIAIS DIGITAIS

NA PLATAFORMA **SM APRENDIZAGEM**, HÁ DIVERSOS RECURSOS DIGITAIS. ALÉM DISSO, OS ADULTOS QUE CUIDAM DE VOCÊ PODEM ACESSAR O *GUIA PARA QUEM CUIDA*, MATERIAL DE ORIENTAÇÃO VOLTADO PARA ELES.

SUMÁRIO

UNIDADE 1
BEM-VINDOS À ESCOLA

1 O QUE VOCÊ QUER FAZER NA ESCOLA? — INICIAL

2 O NOME DOS COLEGAS DA TURMA

3 MAIOR / MENOR

4 NÚMEROS DE 1 A 5

5 OS ESPAÇOS DA ESCOLA

6 RECONHECER AS EMOÇÕES BÁSICAS

7 O PRÓPRIO NOME

8 MAIOR QUE / MENOR QUE

9 LETRAS A, I

10 COMPOSIÇÃO COM VERMELHO, AMARELO E AZUL, DE PIET MONDRIAN

11 OS ESPAÇOS DA ESCOLA

12 RECONHECER A TRISTEZA

13 A LISTA DE MATERIAIS ESCOLARES

14 OS PROFISSIONAIS DA ESCOLA

15 RECONHECER A ALEGRIA

16 MAIS ALTO QUE / MAIS BAIXO QUE

17 MAIS ALTO QUE / MAIS BAIXO QUE

18 NÚMEROS DE 1 A 9

19 OS NOMES DE FRUTAS E DE MATERIAIS ESCOLARES

20 FIGURAS GEOMÉTRICAS (CÍRCULO)

21 TÃO ALTA QUANTO

22 OS NOMES PRÓPRIOS

23 A GALINHA MARCELINA

24 A GALINHA MARCELINA

25 NÚMEROS DE 1 A 9

26 DENTRO / FORA

27 AS BRINCADEIRAS

28 NÚMEROS DE 1 A 9

29 AS ATIVIDADES NA ESCOLA

30 VERDADEIRO OU FALSO

31 A GALINHA MARCELINA

32 O QUE APRENDEMOS? — FINAL

 LINGUAGENS  PENSAMENTO LÓGICO-MATEMÁTICO  NATUREZA E SOCIEDADE   EDUCAÇÃO EMOCIONAL

SUMÁRIO

UNIDADE 2
ONDE VIVEMOS?

1 ONDE VIVEMOS? INICIAL

2 A FAMÍLIA

3 CHEIO / VAZIO

4 ANTES / DEPOIS

5 CHEIO / VAZIO

6 OS CÔMODOS DA MORADIA

7 AS MORADIAS

8 APRENDER A COMPARTILHAR

9 MAIS COMPRIDO QUE / MAIS CURTO QUE

10 CASA FELIZ, DE JAMES RIZZI

11 NÚMEROS DE 1 A 3

12 MAIS LONGO QUE / MAIS CURTO QUE

13 RECRIAÇÃO DE CHAPEUZINHO VERMELHO

14 NÚMEROS DE 1 A 3

15 LETRAS I, O, U

16 UM DITADO POPULAR

17 A RUA

18 AS ATIVIDADES EM CASA

19 PERTO DE CASA

20 DEMONSTRAR AFETO

21 AS ATIVIDADES EM CASA

22 NÚMEROS DE 1 A 3

23 CLASSIFICAR

24 TODOS / NEM TODOS

25 DONA BARATINHA

26 DONA BARATINHA

27 A RECICLAGEM

28 OS NOMES DAS RUAS

29 QUEBRA-CABEÇA (ORIENTAÇÃO ESPACIAL)

30 DE UM LADO / DE OUTRO LADO

31 OS TRÊS PORQUINHOS (SÉRIE LÓGICA)

32 O QUE APRENDEMOS? FINAL

 LINGUAGENS    PENSAMENTO LÓGICO-MATEMÁTICO    NATUREZA E SOCIEDADE   EDUCAÇÃO EMOCIONAL

SUMÁRIO

UNIDADE 3
QUANTAS COISAS PODEMOS FAZER!

1 QUE PROFISSÕES VOCÊ CONHECE? — INICIAL

2 OS PROFISSIONAIS DO SETOR DE SERVIÇOS

3 MAIOR QUE / MENOR QUE

4 IDENTIFICAR TRIÂNGULOS

5 NÚMEROS DE 1 A 6

6 AS PROFISSÕES E OS SEUS INSTRUMENTOS

7 OS PROFISSIONAIS DO COMÉRCIO

8 RECONHECER SITUAÇÕES AGRADÁVEIS

9 OS PROFISSIONAIS DA ARTE

10 MAIOR QUE / MENOR QUE

11 NÚMEROS DE 1 A 6

12 OS PROFISSIONAIS DO ESPORTE

13 AS PROFISSÕES RELACIONADAS À NATUREZA

14 *BANDA DE MÚSICOS*, DE MESTRE VITALINO

15 MAIS PESADO QUE / MAIS LEVE QUE

16 MAIS PESADO QUE / MAIS LEVE QUE

17 LETRA I / ATIVIDADES DA INDÚSTRIA

18 DEMONSTRAR ALEGRIA / TRISTEZA / AFETO

19 O CARDÁPIO

20 O COMÉRCIO

21 OS PROFISSIONAIS DO SETOR DE SERVIÇOS

22 RECONHECER AS EMOÇÕES AGRADÁVEIS

23 EM CIMA DE / EMBAIXO DE

24 EM CIMA DE / EMBAIXO DE

25 QUEBRA-CABEÇA

26 OS PROFISSIONAIS DA CONSTRUÇÃO CIVIL

27 AS PROFISSÕES DOS ADULTOS

28 CLASSIFICAÇÃO POR FORMA E COR

29 *A LEITEIRA*

30 OS PROFISSIONAIS DO SETOR DE SERVIÇOS

31 VERDADEIRO OU FALSO (SÉRIE LÓGICA)

32 O QUE APRENDEMOS? — FINAL

 LINGUAGENS  PENSAMENTO LÓGICO-MATEMÁTICO  NATUREZA E SOCIEDADE   EDUCAÇÃO EMOCIONAL

UNIDADE 1

NOME: _____

BEM-VINDOS À ESCOLA

NOME: _____

O QUE VOCÊ QUER FAZER NA ESCOLA?

» CONTORNE A CRIANÇA QUE NÃO ESTÁ FELIZ. DIGA O QUE VOCÊ PODERIA FAZER PARA ANIMÁ-LA.

» CONTE AS CRIANÇAS QUE PROCURAM O PRÓPRIO NOME NAS CAIXAS.

» LOCALIZE O DIA DE HOJE NO CALENDÁRIO ILUSTRADO. NO ESPAÇO CORRESPONDENTE, DESENHE COMO ESTÁ O TEMPO.

» AGORA, DESENHE O QUE VOCÊ QUER APRENDER NA ESCOLA, OU DO QUE QUER BRINCAR OU OS MATERIAIS QUE QUER USAR.

UNIDADE 1 ✦ FICHA 2

NOME: _____

O NOME DOS COLEGAS DA TURMA

A CANOA VIROU

A CANOA VIROU
POIS DEIXARAM ELA VIRAR
FOI POR CAUSA DE...
QUE NÃO SOUBE REMAR

SE EU FOSSE UM PEIXINHO
E SOUBESSE NADAR
EU TIRAVA...
DO FUNDO DO MAR.

DOMÍNIO PÚBLICO.

» FAÇA UMA RODA COM OS COLEGAS.
» CANTE A CANÇÃO COM O NOME DOS COLEGAS ENQUANTO BRINCA DE RODA.
» QUANDO CANTAREM SEU NOME, VIRE DE COSTAS, COMO NA RODA DA ILUSTRAÇÃO. CONTINUE DE MÃOS DADAS COM OS COLEGAS.
» É MAIS FÁCIL OU MAIS DIFÍCIL RODAR ASSIM?

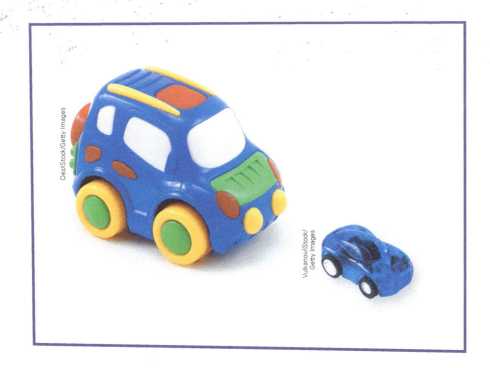

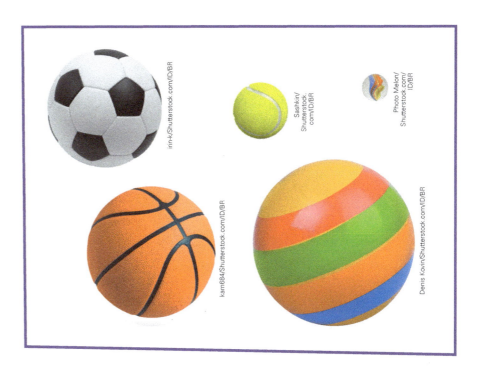

UNIDADE 1 ✦ FICHA 3

NOME: _____

MAIOR / MENOR

UNIDADE 1
FICHA 3

» CONTORNE COM O LÁPIS VERMELHO O **MENOR** OBJETO DE CADA QUADRO.
» CONTORNE COM O LÁPIS AZUL O **MAIOR** OBJETO DE CADA QUADRO.

UNIDADE 1 ✦ FICHA 4

NOME: _____

NÚMEROS DE 1 A 5

UNIDADE 1
FICHA 4

» CONTE QUANTAS MOCHILAS QUE HÁ EM CADA SEQUÊNCIA E ESCREVA O NÚMERO CORRESPONDENTE NOS QUADRINHOS.

PARQUE

REFEITÓRIO

BIBLIOTECA

SALA DE AULA

UNIDADE 1 ◆ FICHA 5

NOME: _____

OS ESPAÇOS DA ESCOLA

UNIDADE 1
FICHA 5

» DIGA O NOME DESSES ESPAÇOS DA ESCOLA.
» LIGUE CADA OBJETO AO ESPAÇO CORRESPONDENTE.

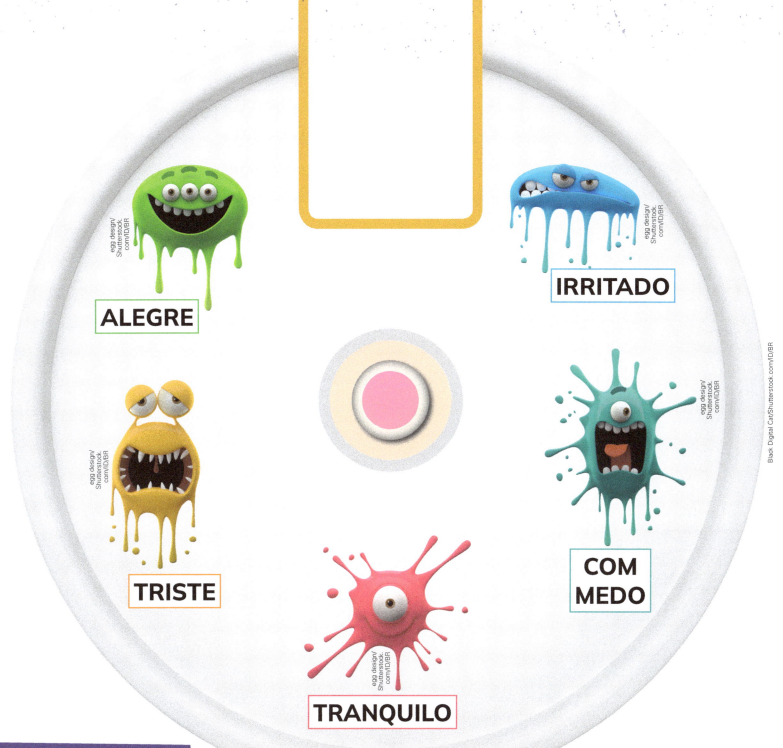

UNIDADE 1 ✦ FICHA 6

NOME: _____

RECONHECER AS EMOÇÕES BÁSICAS

UNIDADE 1
FICHA 6

ENCARTE

» COLE SUA FOTO NO RELÓGIO.

» COMO VOCÊ SE SENTE HOJE? DESTAQUE O PONTEIRO DO ENCARTE E COLE-O NO RELÓGIO, NA POSIÇÃO QUE INDICA ESSE SENTIMENTO.

UNIDADE 1 ✦ **FICHA 7**

NOME: _____

O PRÓPRIO NOME

NOME DA GENTE

[...]
EU NÃO GOSTO
DO MEU NOME,
NÃO FUI EU
QUEM ESCOLHEU.
EU NÃO SEI
POR QUE SE METEM
COM UM NOME
QUE É SÓ MEU!
[...]
FOI MEU PAI QUEM DECIDIU
QUE O MEU NOME FOSSE AQUELE.
ISSO SÓ SERIA JUSTO
SE EU ESCOLHESSE
O NOME DELE.
[...]

PEDRO BANDEIRA. *CAVALGANDO O ARCO-ÍRIS*.
SÃO PAULO: MODERNA, 2002. P. 14-15.

UNIDADE 1
FICHA 7

» OUÇA O POEMA QUE O PROFESSOR VAI LER.
» COM A AJUDA DO PROFESSOR, ESCREVA SEU NOME NO QUADRO.
» ENFEITE O ESPAÇO EM VOLTA DO SEU NOME.

UNIDADE 1 ✦ FICHA 8

NOME: _____

MAIOR QUE / MENOR QUE

UNIDADE 1
FICHA 8

» OLHE PARA AS MÃOS DO ADULTO QUE CUIDA DE VOCÊ. AS MÃOS DELE SÃO MAIORES OU MENORES DO QUE AS SUAS?

» AGORA, OBSERVE CADA IMAGEM DA FICHA.
   › PINTE DE VERMELHO O CHAPÉU GRANDE E DE AZUL, O PEQUENO.
   › PINTE A BOTA QUE A MENINA PRECISA CALÇAR.
   › PINTE A MAIOR BLUSA QUE SERVE NA MENINA.
   › PINTE AS LUVAS QUE SERVEM NO MENINO.

» COMPARE AS ROUPAS DE CADA IMAGEM, DIZENDO:
MAIOR QUE / MENOR QUE.

UNIDADE 1 ✦ **FICHA 9**

NOME: _____

UNIDADE 1
FICHA 9

LETRAS A, I

QUE NOME VOCÊ TEM?

A DE ANTÔNIO, ANA, ANDREA
B DE BIA, TEM TAMBÉM
C DE CRIS, I DE IVAN
QUE NOME VOCÊ TEM?

G GUSTAVO, R RAQUEL,
S SÔNIA, D DANIEL,
COM QUE LETRA SERÁ
QUE COMEÇA O SEU?
[...]

LUIZ RIBEIRO. QUE NOME VOCÊ TEM? INTÉRPRETES: TATIANA PARRA E GISELLA. EM: *TECO TRECO*. SÃO PAULO: CPC-UMES, 2010. 1 CD, FAIXA 8.

» OUÇA A LETRA DA CANÇÃO QUE O PROFESSOR VAI LER.
» QUAL É A PRIMEIRA LETRA DO NOME **ANA**? ESCREVA A LETRA NO QUADRINHO AO LADO DELA.
» QUAL É A PRIMEIRA LETRA DO NOME **IVAN**? ESCREVA A LETRA NO QUADRINHO AO LADO DELE.
» CRIE UMA CONTINUAÇÃO PARA A CANÇÃO UTILIZANDO OS NOMES DAS CRIANÇAS DA TURMA.

COMPOSIÇÃO COM VERMELHO, AMARELO E AZUL, DE PIET MONDRIAN.

UNIDADE 1 ✦ **FICHA 10**

NOME: _____

COMPOSIÇÃO COM VERMELHO, AMARELO E AZUL, DE PIET MONDRIAN

UNIDADE 1 — FICHA 10

PIET MONDRIAN (1872-1944)

PIETER CORNELIS MONDRIAN FOI UM IMPORTANTE PINTOR HOLANDÊS.

DESDE MUITO PEQUENO, ELE SE INTERESSOU PELA PINTURA.

POR UM TEMPO, ELE FOI PROFESSOR DE ARTE, MAS NÃO ESTAVA FELIZ E, POR ISSO, DECIDIU SE DEDICAR À PINTURA.

MONDRIAN FEZ OBRAS EM VÁRIOS ESTILOS, MAS FICOU FAMOSO POR SUAS OBRAS GEOMÉTRICAS, COMO ESTA QUE ESTAMOS ESTUDANDO. ELE USAVA CORES COMO VERMELHO, AZUL E AMARELO E AS DISTRIBUÍA EM RETÂNGULOS DE TAMANHOS VARIADOS.

ENCARTE

Museu Municipal de Haia, Holanda.
Fotografia: ID/BR

» DESTAQUE DO ENCARTE A CÓPIA DO QUADRO DE MONDRIAN.
» AGORA, COLE AS PEÇAS NO QUADRO EM BRANCO.
» RASGUE PAPEL COLORIDO E ENFEITE A MOLDURA.

PARQUE

BANHEIRO

SALA DE AULA

BIBLIOTECA

UNIDADE 1 ◆ FICHA 11

NOME: _____

OS ESPAÇOS DA ESCOLA

UNIDADE 1
FICHA 11

» CONTORNE OS ESPAÇOS QUE HÁ NA ESCOLA ONDE VOCÊ ESTUDA.

» CONTE AOS COLEGAS E AO PROFESSOR O QUE VOCÊ FAZ EM CADA UM DESSES ESPAÇOS.

UNIDADE 1 ✦ FICHA 12

NOME: _____

RECONHECER A TRISTEZA

UNIDADE 1
FICHA 12

» COMO AS CRIANÇAS ESTÃO SE SENTINDO?

» POR QUE VOCÊ ACHA QUE ELAS SE SENTEM ASSIM?

» DESENHE ALGO QUE PODERIA DEIXAR ESSAS CRIANÇAS ALEGRES.

UNIDADE 1 ✦ FICHA 13

NOME: _____

A LISTA DE MATERIAIS ESCOLARES

UNIDADE 1
FICHA 13

» PARA REALIZAR AS ATIVIDADES NA ESCOLA, VOCÊ PRECISA DE ALGUNS OBJETOS. LEIA O NOME DELES COM O PROFESSOR.

» DESENHE CADA OBJETO NO QUADRO CORRESPONDENTE.

» HÁ MAIS ALGUM OBJETO DE QUE VOCÊ PRECISA NA ESCOLA? DESENHE ESSE OBJETO NO ÚLTIMO QUADRO E ESCREVA O NOME DELE.

UNIDADE 1 ◆ FICHA 14

NOME: _____

OS PROFISSIONAIS DA ESCOLA

UNIDADE 1
FICHA 14

» CONTORNE AS PESSOAS DO QUADRO EM SEUS LOCAIS DE TRABALHO.
» EXPLIQUE O QUE ESSAS PESSOAS FAZEM NO TRABALHO DELAS.

UNIDADE 1 ✦ FICHA 15

NOME: _____

RECONHECER A ALEGRIA

UNIDADE 1
FICHA 15

» OBSERVE O ROSTO DA CRIANÇA NO ESPELHO. COMO ELA SE SENTE?
» COMO VOCÊ SE SENTE AGORA? DESENHE SEU ROSTO NO ESPELHO.

UNIDADE 1 ✦ FICHA 16

NOME: _____

MAIS ALTO QUE / MAIS BAIXO QUE

UNIDADE 1
FICHA 16

» DESENHE UM PRÉDIO AZUL QUE SEJA MAIS BAIXO QUE O PRÉDIO VERMELHO.
» DESENHE UM PRÉDIO AMARELO QUE SEJA MAIS ALTO QUE O PRÉDIO VERMELHO.
» COMPARE OS PRÉDIOS DIZENDO: **MAIS ALTO QUE** / **MAIS BAIXO QUE**.

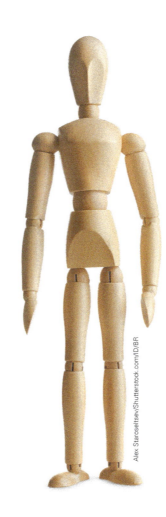

UNIDADE 1 ◆ FICHA 17

NOME: _____

MAIS ALTO QUE / MAIS BAIXO QUE

UNIDADE 1
FICHA 17

» DESENHE MAIS BLOCOS NA TORRE VERDE PARA QUE ELA FIQUE MAIS ALTA QUE A TORRE VERMELHA.

» AGORA, COMPARE AS TORRES E O BONECO, DIZENDO: **MAIS ALTO QUE** / **MAIS BAIXO QUE**.

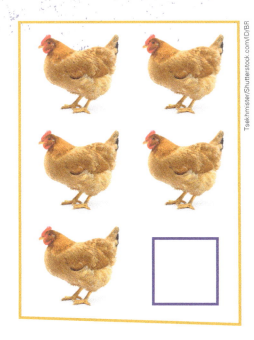   

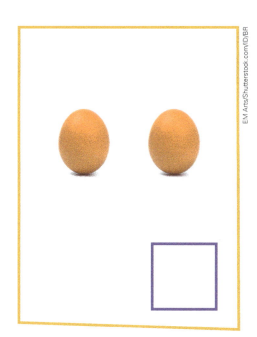   

UNIDADE 1 ◆ FICHA 18

NOME: _____

NÚMEROS DE 1 A 9

A GALINHA DO VIZINHO

A GALINHA DO VIZINHO
BOTA OVO AMARELINHO
BOTA UM, BOTA DOIS,
BOTA TRÊS, BOTA QUATRO,
BOTA CINCO, BOTA SEIS,
BOTA SETE, BOTA OITO,
BOTA NOVE, BOTA DEZ.

DOMÍNIO PÚBLICO.

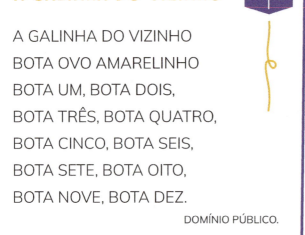

» CONTE AS GALINHAS E OS OVOS DE CADA GRUPO E ESCREVA O NÚMERO NO QUADRINHO.

» LIGUE OS GRUPOS QUE TÊM A MESMA QUANTIDADE DE OVOS E DE GALINHAS.

» CANTE A CANTIGA COM OS COLEGAS E O PROFESSOR.

BANANA

GIZ

ESTOJO

MAÇÃ

PINCEL

_____

UNIDADE 1 ◆ FICHA 19

NOME: _____

OS NOMES DE FRUTAS E DE MATERIAIS ESCOLARES

UNIDADE 1 · FICHA 19

ENCARTE

» AS PALAVRAS QUE ESTÃO NA LISTA SÃO NOMES DE MATERIAIS QUE HÁ NA SALA DE AULA E DE FRUTAS QUE VOCÊ COME NA HORA DO LANCHE. DESTAQUE DO ENCARTE AS FOTOS DESSES MATERIAIS E DESSAS FRUTAS.

» LEIA AS PALAVRAS DA LISTA E COLE CADA FOTO EM SEU LUGAR.

» ESCREVA O NOME DE OUTRA FRUTA NA LINHA EM BRANCO E DESENHE ESSA FRUTA NO QUADRO.

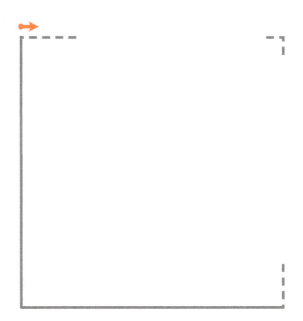

UNIDADE 1 ✦ FICHA 20

NOME: _____

FIGURAS GEOMÉTRICAS (CÍRCULO)

UNIDADE 1
FICHA 20

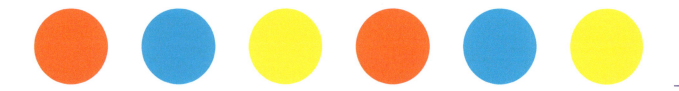

» COMPLETE AS FIGURAS PARA QUE TENHAM A MESMA FORMA QUE O MODELO.
» PINTE A FIGURA QUE TEM FORMA DE CÍRCULO.
» CONTINUE A SEQUÊNCIA DOS CÍRCULOS.

UNIDADE 1 ✦ FICHA 21

NOME: _____

TÃO ALTA QUANTO

UNIDADE 1
FICHA 21

ENCARTE

» COM A AJUDA DO PROFESSOR, DESTAQUE DO ENCARTE AS IMAGENS DAS IRMÃS GÊMEAS.

» COLE AS DUAS FIGURAS NO DEGRAU VAZIO E DESCUBRA QUAL DAS GÊMEAS É A MAIS ALTA.

» COMPARE AS IRMÃS DIZENDO: **TÃO ALTA QUANTO**.

UNIDADE 1 ◆ **FICHA 22**

NOME: _____

OS NOMES PRÓPRIOS

UNIDADE 1
FICHA 22

» SENTE-SE COM O ADULTO QUE CUIDA DE VOCÊ E OBSERVE-O.
» DESENHE ESSE ADULTO DENTRO DA MOLDURA.
» NO QUADRO EMBAIXO DA MOLDURA, ESCREVA O NOME DA PESSOA QUE VOCÊ DESENHOU.

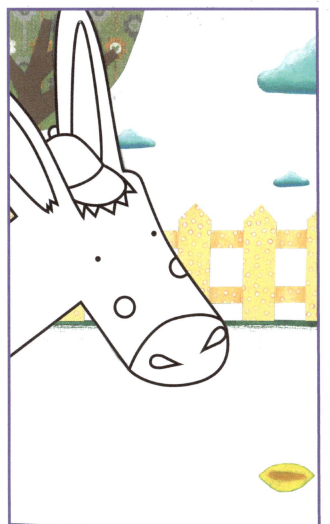

UNIDADE 1 ✦ FICHA 23

NOME: _____

A GALINHA MARCELINA

UNIDADE 1
FICHA 23

» PINTE A IMAGEM QUE MOSTRA O INÍCIO DA HISTÓRIA.
» DESENHE UMA GALINHA COMO VOCÊ PREFERIR.

UNIDADE 1 ✦ FICHA 24

NOME: _____

A GALINHA MARCELINA

UNIDADE 1
FICHA 24

» RELEMBRE O CONTO DA GALINHA MARCELINA E PINTE OS ANIMAIS QUE NÃO AJUDARAM MARCELINA A FAZER O PÃO.

» VOCÊ JÁ NEGOU AJUDA A ALGUM COLEGA NA ESCOLA? OU JÁ TEVE UM PEDIDO DE AJUDA NEGADO? COMO VOCÊ SE SENTIU NESSAS SITUAÇÕES?

UNIDADE 1 ✦ FICHA 25

NOME: _____

NÚMEROS DE 1 A 9

UNIDADE 1
FICHA 25

» PREENCHA, COM A SEQUÊNCIA DOS NÚMEROS DE **1** A **9**, O CAMINHO QUE A GALINHA MARCELINA PERCORREU ATÉ TER O PÃO PRONTO.

» EM QUAIS NÚMEROS ELA PEDIU AJUDA AOS OUTROS ANIMAIS? CONTORNE ESSES NÚMEROS.

UNIDADE 1 ✦ **FICHA 26**

NOME: _____

DENTRO / FORA

UNIDADE 1 · FICHA 26

ENCARTE

» DESTAQUE OS APONTADORES DO ENCARTE.
» COLE TRÊS APONTADORES DENTRO DA CAIXA E UM FORA DELA.
» DESENHE OUTRO APONTADOR FORA DA CAIXA.
» DIGA QUANTOS APONTADORES HÁ **DENTRO** DA CAIXA E QUANTOS HÁ **FORA** DELA.

UNIDADE 1 ✦ FICHA 27

NOME: _____

AS BRINCADEIRAS

UNIDADE 1
FICHA 27

» DO QUE AS MENINAS E OS MENINOS ESTÃO BRINCANDO?
» DE QUAL DESSAS BRINCADEIRAS VOCÊ GOSTA MAIS? PINTE AS CRIANÇAS QUE PARTICIPAM DESSA BRINCADEIRA.

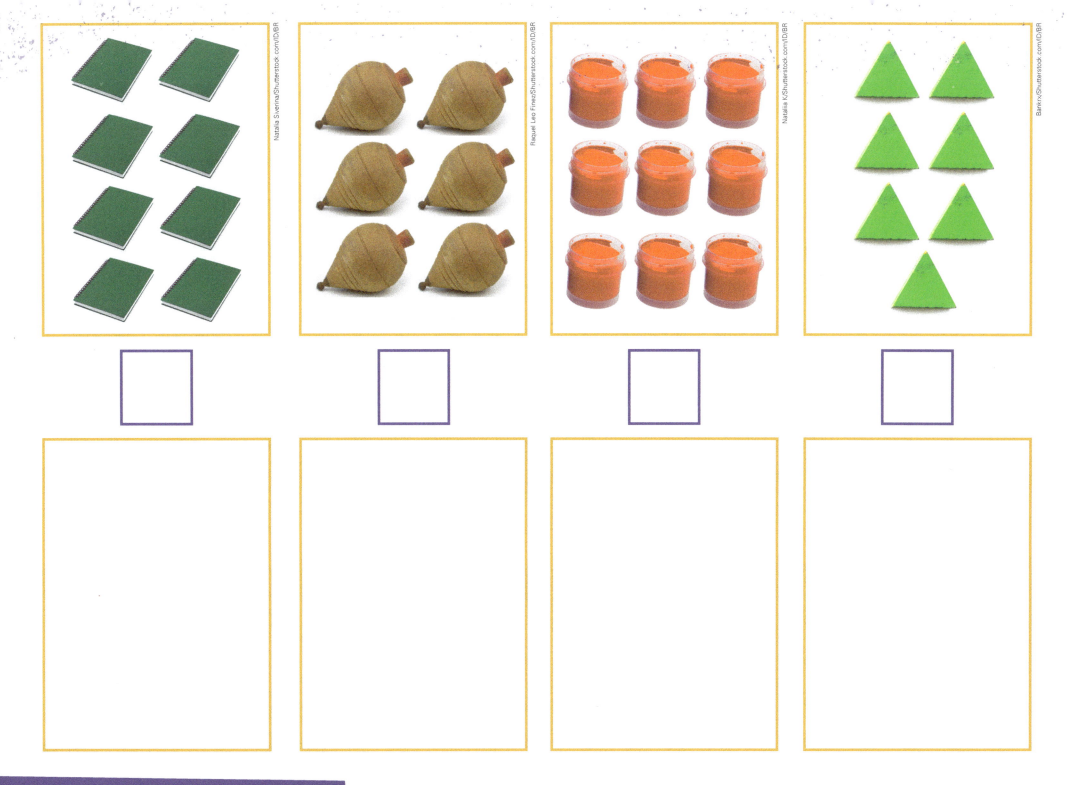

UNIDADE 1 ✦ **FICHA 28**

NOME: _____

NÚMEROS DE 1 A 9

UNIDADE 1
FICHA 28

» CONTE QUANTOS OBJETOS HÁ EM CADA GRUPO E ESCREVA O NÚMERO NO QUADRINHO.

» NOS QUADROS MAIORES, REPRESENTE COMO QUISER A QUANTIDADE DE OBJETOS QUE HÁ EM CADA GRUPO.

» AGORA, RESPONDA: QUANTOS ANOS VOCÊ TEM? DESENHE NO BOLO A QUANTIDADE DE VELINHAS CORRESPONDENTE À SUA IDADE. DEPOIS, DECORE O BOLO COMO DESEJAR.

UNIDADE 1 ◆ FICHA 29

NOME: _____

AS ATIVIDADES NA ESCOLA

» FALE PARA O ADULTO QUE CUIDA DE VOCÊ O QUE AS CRIANÇAS ESTÃO FAZENDO EM CADA UMA DAS FOTOGRAFIAS.

» PINTE A MOLDURA DE DUAS FOTOGRAFIAS QUE MOSTRAM ATIVIDADES QUE VOCÊ MAIS GOSTA DE FAZER NA ESCOLA.

» HÁ ALGUMA ATIVIDADE QUE NÃO ESTÁ NAS FOTOS E QUE VOCÊ TAMBÉM GOSTA MUITO DE FAZER? DESENHE-A E, NA PRÓXIMA AULA, MOSTRE-A AOS COLEGAS E AO PROFESSOR.

UNIDADE 1 ◆ **FICHA 30**

NOME: _____

VERDADEIRO OU FALSO

UNIDADE 1
FICHA 30

» VAMOS RELEMBRAR A HISTÓRIA DA GALINHA MARCELINA? SE O QUE O PROFESSOR DISSER FOR VERDADEIRO, PINTE O QUADRINHO DE AZUL. SE FOR FALSO, PINTE-O DE VERMELHO.

> O GALO, A VACA, A OVELHA, O PORCO E O BURRO AJUDARAM A GALINHA MARCELINA A FAZER O PÃO.

> A GALINHA MARCELINA REPARTIU O PÃO COM OS OUTROS ANIMAIS.

UNIDADE 1 ✦ **FICHA 31**

NOME: _____

A GALINHA MARCELINA

UNIDADE 1
FICHA 31

» EM QUE ORDEM ACONTECERAM OS FATOS NA HISTÓRIA DA GALINHA MARCELINA? NUMERE DE **1** A **4** DE ACORDO COM OS ACONTECIMENTOS DA HISTÓRIA.

» REÚNA-SE COM MAIS TRÊS COLEGAS. CADA UM VAI FICAR RESPONSÁVEL POR CONTAR UMA PARTE DA HISTÓRIA.

FICHA FINAL — UNIDADE 1 — FICHA 32

O QUE APRENDEMOS?

| O QUE HÁ NA ESCOLA? | O QUE ME DEIXA FELIZ NA ESCOLA? |

NOME: _____

» NO QUADRO COM MOLDURA VERDE, DESENHE AS PESSOAS, OS LUGARES E OS MATERIAIS QUE FAZEM PARTE DA ESCOLA.

» NO QUADRO COM MOLDURA AZUL, FAÇA UM DESENHO DE VOCÊ MESMO EM ALGUMA SITUAÇÃO QUE O DEIXA FELIZ NA ESCOLA.

UNIDADE 2

NOME: _____

ONDE VIVEMOS?

NOME: _____

ONDE VIVEMOS?

» FAÇA UM **X** NOS OBJETOS QUE VOCÊ PODE ENCONTRAR NO BANHEIRO DE SUA CASA.

» PROCURE E CONTORNE NA CENA UM NOME DE RUA.

» IMAGINE QUE UMA CRIANÇA DE UM OUTRO PAÍS VISITE A SUA ESCOLA. FAÇA UM DESENHO PARA MOSTRAR A ELA O LUGAR ONDE VOCÊ VIVE.

UNIDADE 2 ◆ FICHA 2

NOME: _____

A FAMÍLIA

UNIDADE 2
FICHA 2

» FAÇA UM DESENHO COM TODOS QUE VIVEM EM SUA CASA. LEMBRE-SE DE DESENHAR VOCÊ TAMBÉM.

UNIDADE 2 ◆ **FICHA 3**

NOME: _____

CHEIO / VAZIO

UNIDADE 2
FICHA 3

» VOCÊ JÁ BRINCOU NA AREIA COM ALGUÉM DA SUA FAMÍLIA? CONTE COMO FOI.

» OBSERVE OS BALDES E DIGA QUAIS ESTÃO CHEIOS DE AREIA.

» O BALDE VERDE ESTÁ CHEIO? POR QUÊ?

» PONHA O DEDO EM CADA BALDE, DIZENDO: ESTE BALDE **ESTÁ CHEIO** / ESTE BALDE **NÃO ESTÁ CHEIO**.

UNIDADE 2 ◆ **FICHA 4**

NOME: _____

ANTES / DEPOIS

UNIDADE 2
FICHA 4

ENCARTE

» DESTAQUE AS PEÇAS DO ENCARTE.
» COLE AS PEÇAS DE ACORDO COM O QUE O MENINO FAZ ANTES E COM O QUE FAZ DEPOIS.
» AGORA CONTE A HISTÓRIA, DIZENDO **ANTES** E **DEPOIS**.

UNIDADE 2 ◆ **FICHA 5**

NOME: _____

CHEIO / VAZIO

UNIDADE 2
FICHA 5

» FAÇA UM **X** NOS QUADRINHOS DAS GARRAFAS QUE NÃO ESTÃO VAZIAS.
» CONTORNE A GARRAFA QUE ESTÁ **VAZIA**.

BANHEIRO

QUARTO

SALA

COZINHA

UNIDADE 2 ◆ FICHA 6

NOME: _____

OS CÔMODOS DA MORADIA

UNIDADE 2 · FICHA 6

» DIGA O NOME DESSES CÔMODOS DA CASA.

» LIGUE OS OBJETOS AOS CÔMODOS A QUE PERTENCEM.

» AGORA, DESENHE OUTRO OBJETO QUE PODERIA SER ENCONTRADO EM CADA UM DOS CÔMODOS.

UNIDADE 2 ✦ FICHA 7

NOME: _____

AS MORADIAS

O QUINTAL

NO FUNDO DO QUINTAL,
AMARELINHA,
ESCONDE-ESCONDE,
JOGO DO ANEL,
UM AMOR E TRÊS SEGREDOS.

NO FUNDO DO QUINTAL,
PASSARINHOS,
TESOUROS,
PIRATAS E NAVIOS,
AS VELAS TODAS ARMADAS.

NO FUNDO DO QUINTAL,
CASINHA DE BONECA,
COMIDINHA DE FOLHA SECA,
EU ERA A MÃE, VOCÊ ERA O PAI.

QUANDO NÃO EXISTE QUINTAL,
COMO É QUE SE FAZ?

ROSEANA MURRAY. *CASAS*. BELO HORIZONTE: FORMATO, 1994. P. 21.

» FAÇA UM **X** NA FOTO QUE MOSTRA UMA MORADIA PARECIDA COM AQUELA EM QUE VOCÊ MORA.

» OUÇA O POEMA QUE O PROFESSOR VAI LER E FALE SE NA SUA CASA TEM QUINTAL. SE TIVER, CONTE DO QUE VOCÊ COSTUMA BRINCAR POR LÁ.

UNIDADE 2 ✦ **FICHA 8**

NOME: _____

APRENDER A COMPARTILHAR

UNIDADE 2
FICHA 8

» O QUE AS CRIANÇAS DA CENA ESTÃO FAZENDO?
» DE QUAL INSTRUMENTO MUSICAL VOCÊ MAIS GOSTA?
» AS CRIANÇAS ESTÃO COMPARTILHANDO OS INSTRUMENTOS. VOCÊ COMPARTILHA SEUS BRINQUEDOS COM OS COLEGAS?
» DESENHE UMA CENA EM QUE VOCÊ COMPARTILHA ALGO COM OUTRA PESSOA.

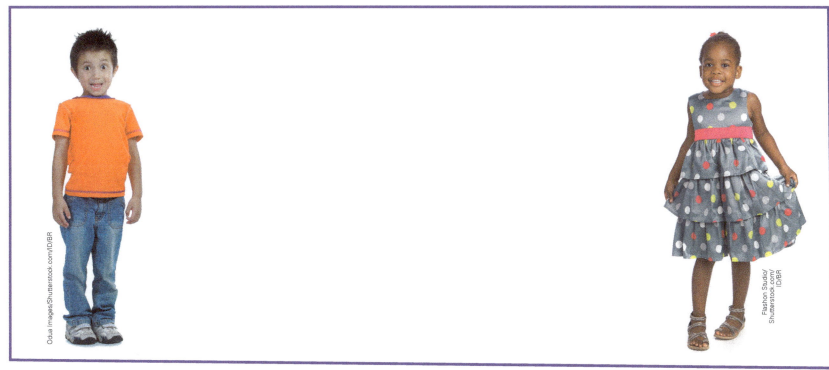

UNIDADE 2 ◆ FICHA 9

NOME: _____

MAIS COMPRIDO QUE / MAIS CURTO QUE

UNIDADE 2
FICHA 9

» LIGUE AS CRIANÇAS DE CADA DUPLA COLANDO UM PEDAÇO DE FIO DE LÃ DE COR DIFERENTE.
» DIGA DE QUE COR É O FIO DE LÃ MAIS COMPRIDO.
» COMPARE OS FIOS DE LÃ, DIZENDO: **MAIS COMPRIDO QUE / MAIS CURTO QUE**.

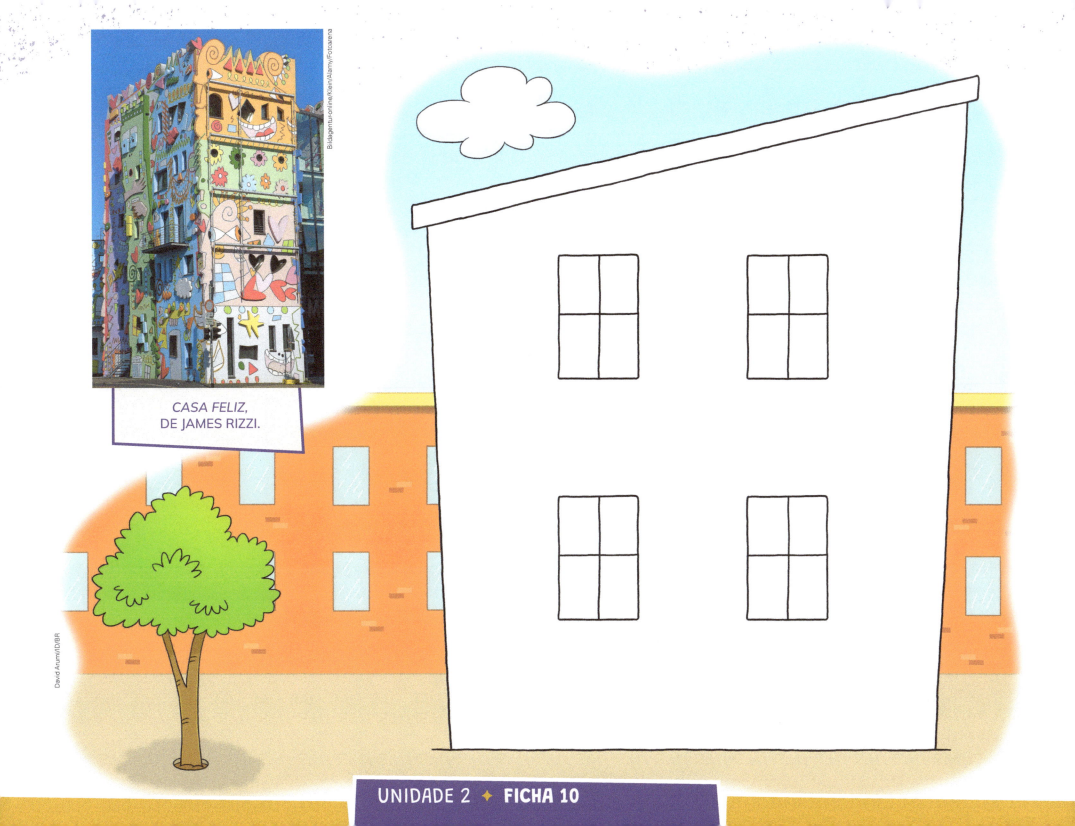

CASA FELIZ, DE JAMES RIZZI.

UNIDADE 2 ♦ FICHA 10

NOME: _____

CASA FELIZ, DE JAMES RIZZI

JAMES RIZZI (1950-2011)

JAMES RIZZI FOI UM ARTISTA ESTADUNIDENSE QUE USAVA MUITAS CORES EM SUAS OBRAS. ELE TAMBÉM FEZ ESCULTURAS DE PAPEL USANDO MUITAS CORES E DESENHOS QUE PARECIAM SER FEITOS POR CRIANÇAS.

OUTRA CURIOSIDADE SOBRE ESSE ARTISTA É QUE ELE FAZIA SEUS TRABALHOS EM DIFERENTES TIPOS DE OBJETO: UM COPO, UMA CASA, UM TREM E ATÉ MESMO UM AVIÃO.

JAMES RIZZI GOSTAVA DE IMAGINAR QUE SUAS CRIAÇÕES DEIXARIAM AS PESSOAS MAIS FELIZES E QUE ELAS SORRIRIAM QUANDO VISSEM UM TRABALHO SEU.

ELE DOOU SEU TRABALHO PARA O UNICEF (FUNDO DAS NAÇÕES UNIDAS PARA A INFÂNCIA), EM BENEFÍCIO DAS CRIANÇAS.

» EXPLIQUE COMO É A CASA FELIZ, DE JAMES RIZZI.
» PINTE OU FAÇA DESENHOS NA OUTRA CASA PARA QUE ELA TAMBÉM SEJA UMA CASA FELIZ.

DOIS TRÊS UM

UM DOIS TRÊS

UNIDADE 2 ◆ FICHA 11

NOME: _____

NÚMEROS DE 1 A 3

UNIDADE 2
FICHA 11

» ESCREVA NOS QUADRINHOS O NÚMERO DE ELEMENTOS QUE HÁ EM CADA GRUPO.
» LEIA OS NÚMEROS POR EXTENSO.
» LIGUE OS GRUPOS QUE TÊM A MESMA QUANTIDADE DE ELEMENTOS.

UNIDADE 2 ✦ **FICHA 12**

NOME: _____

MAIS LONGO QUE / MAIS CURTO QUE

UNIDADE 2
FICHA 12

- » IDENTIFIQUE QUAL É O CAMINHO MAIS CURTO PARA CHAPEUZINHO VERMELHO CHEGAR À CASA DA VOVOZINHA.
- » EXPLIQUE O QUE PODE ACONTECER SE CHAPEUZINHO VERMELHO FOR PELO CAMINHO MAIS CURTO.
- » PINTE O CAMINHO DAS FLORES DE VERMELHO E O CAMINHO DAS PEDRAS DE AZUL.
- » COMPARE ESSES DOIS CAMINHOS, DIZENDO: **MAIS LONGO QUE** / **MAIS CURTO QUE**.

UNIDADE 2 ✦ FICHA 13

NOME: _____

RECRIAÇÃO DE CHAPEUZINHO VERMELHO

UNIDADE 2
FICHA 13

» OBSERVE AS CENAS. O QUE HÁ DE ESTRANHO EM CADA UMA DELAS?

» REÚNA-SE COM UM COLEGA, ESCOLHA UMA DAS CENAS E CONTE A ELE UMA HISTÓRIA CRIADA POR VOCÊ EM QUE ESSA CENA ACONTEÇA.

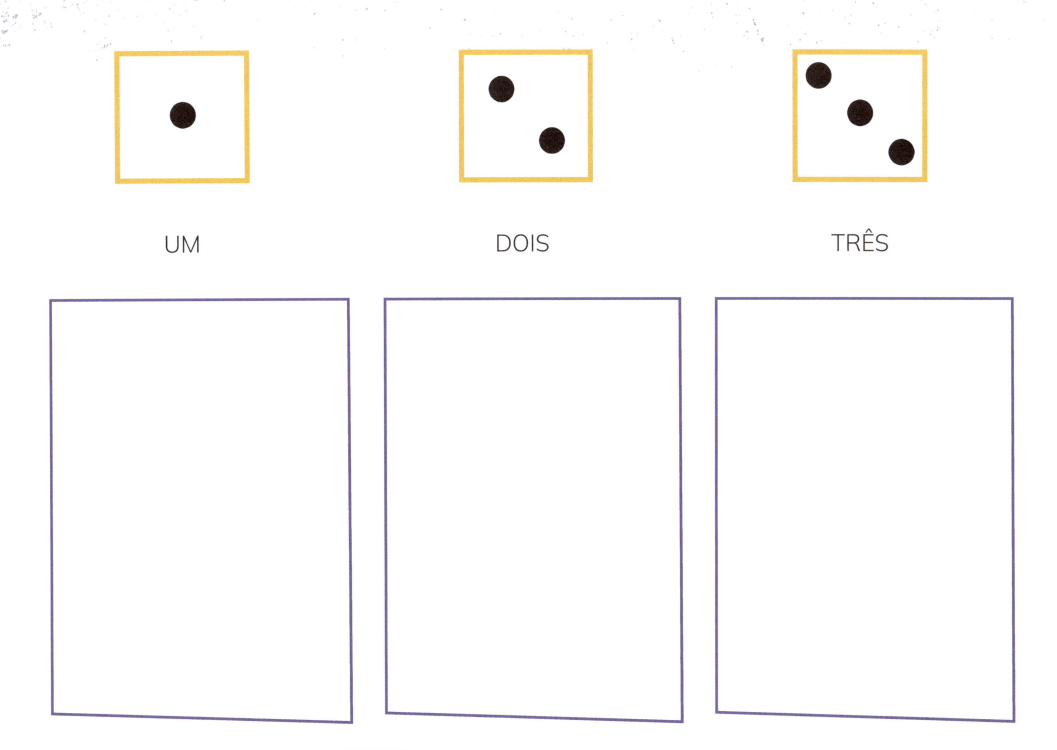

NOME: _____

NÚMEROS DE 1 A 3

UNIDADE 2 — FICHA 14

» CONTE QUANTOS PONTOS HÁ NOS QUADRINHOS E LEIA OS NÚMEROS POR EXTENSO QUE INDICAM ESSA QUANTIDADE.

» DESTAQUE AS PEÇAS DO ENCARTE. CONTE QUANTAS PEÇAS IGUAIS HÁ DE CADA OBJETO E SEPARE-AS EM GRUPOS.

» COLE AS PEÇAS NOS QUADROS DE ACORDO COM A QUANTIDADE INDICADA.

» ESCOLHA UM NÚMERO DE 1 A 3 E FAÇA UM DESENHO PARA REPRESENTÁ-LO. MOSTRE-O PARA OS COLEGAS. DEPOIS, JUNTOS, AGRUPEM AS FICHAS EM QUE FORAM REPRESENTADOS OS MESMOS NÚMEROS.

ENCARTE

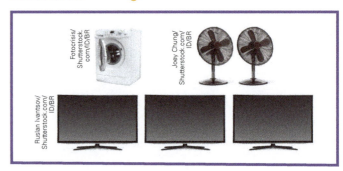

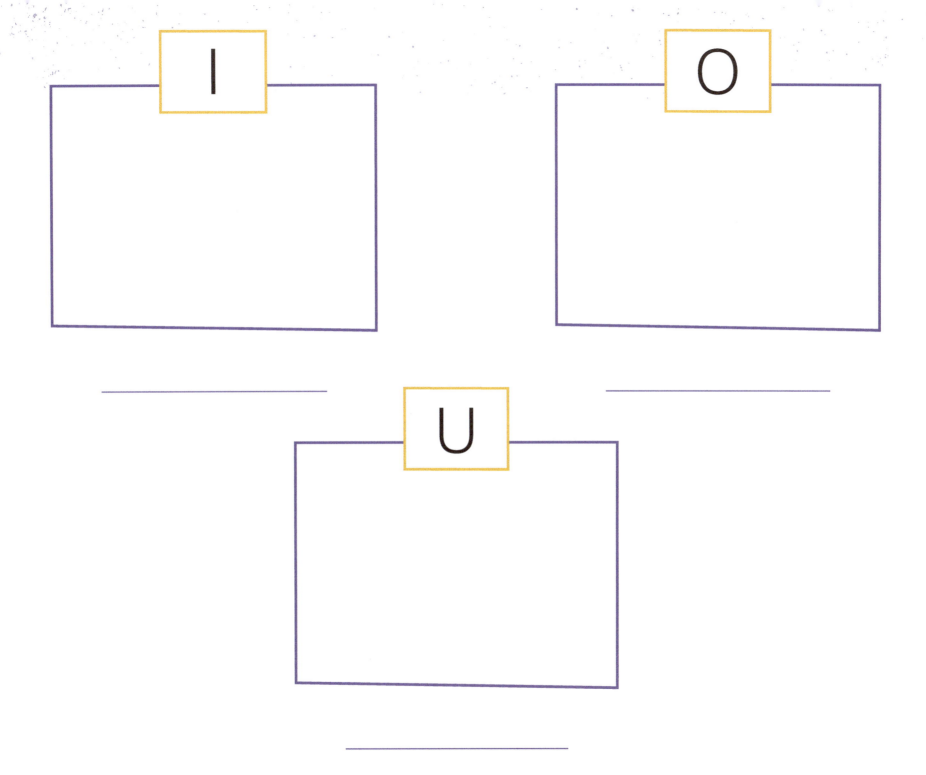

UNIDADE 2 ◆ FICHA 15

NOME: _____

LETRAS I, O, U

UNIDADE 2 · FICHA 15

ENCARTE

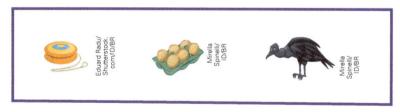

» DESTAQUE AS PEÇAS DO ENCARTE E DIGA O NOME DE CADA FIGURA.
» SEPARE AS FIGURAS CONFORME AS LETRAS QUE INICIAM O NOME DELAS: **I**, **O** OU **U**.
» DEPOIS DE SEPARADAS, COLE AS FIGURAS EM CADA GRUPO CORRESPONDENTE.
» ESCREVA O NOME DAS FIGURAS NOS QUADROS CORRESPONDENTES.

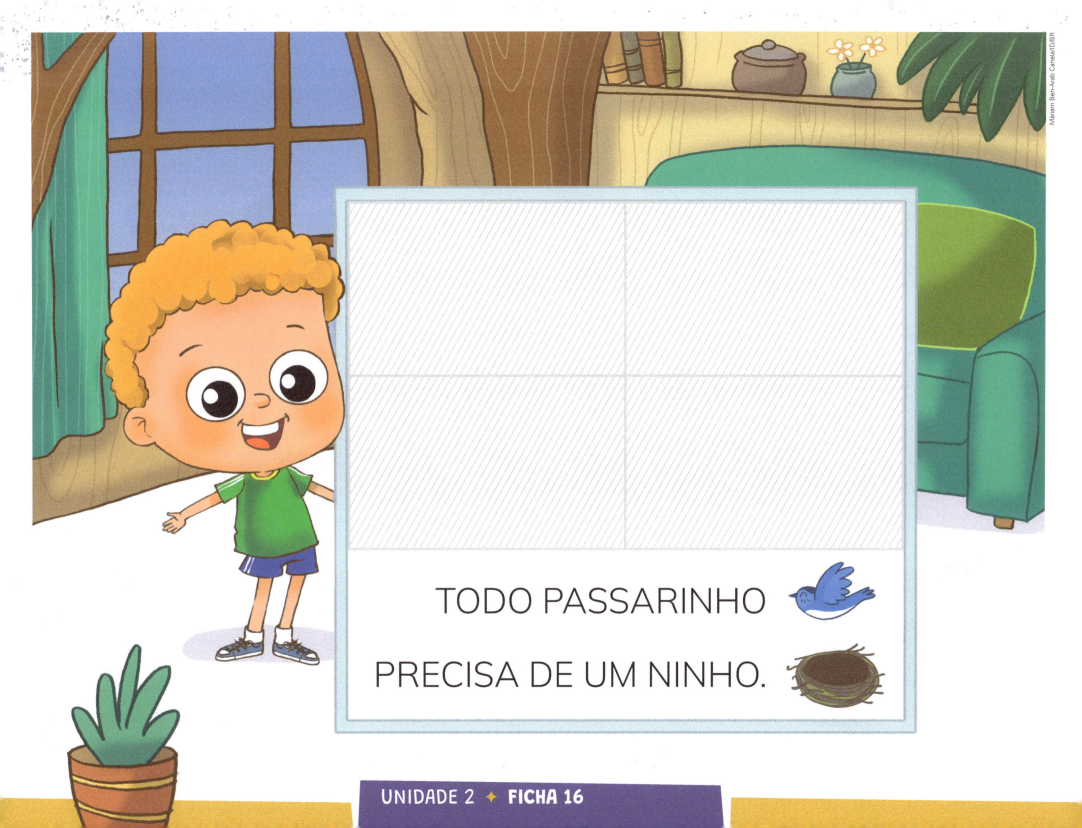

NOME: _____

UM DITADO POPULAR

UNIDADE 2
FICHA 16

ENCARTE

» COM O PROFESSOR, LEIA O DITADO POPULAR. O QUE SERÁ QUE ELE SIGNIFICA?
» DESTAQUE AS PEÇAS DO ENCARTE E MONTE O QUEBRA-CABEÇA.

UNIDADE 2 ◆ FICHA 17

NOME: _____

A RUA

UNIDADE 2
FICHA 17

- CONTE O QUE VOCÊ VÊ NA CENA.
- FAÇA UM **X** NAS FOTOS DE OBJETOS QUE NÃO APARECEM NA CENA.
- PINTE O SEMÁFORO DE PEDESTRES COM A COR QUE INDICA QUE SE PODE ATRAVESSAR A RUA.

UNIDADE 2 ✦ FICHA 18

NOME: _____

AS ATIVIDADES EM CASA

» CONVERSE COM O ADULTO QUE CUIDA DE VOCÊ SOBRE O QUE AS CRIANÇAS ESTÃO FAZENDO EM CADA CENA.

» VOCÊ AJUDA SEUS PAIS OU RESPONSÁVEIS NAS TAREFAS DA CASA? EM QUE TAREFA VOCÊ OS AJUDA?

» AGORA, DESENHE VOCÊ AJUDANDO EM ALGUMA TAREFA DE CASA.

MERCADO

PARQUE

ESCOLA

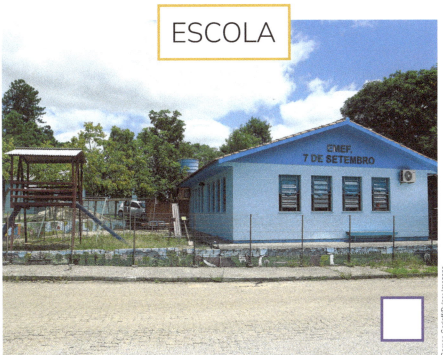

FARMÁCIA

UNIDADE 2 ♦ FICHA 19

NOME: _____

PERTO DE CASA

UNIDADE 2
FICHA 19

» CONVERSE COM OS COLEGAS E O PROFESSOR SOBRE OS LUGARES QUE AS FOTOGRAFIAS MOSTRAM.
» O QUE AS PESSOAS COSTUMAM FAZER NESSES LUGARES?
» PERTO DA SUA CASA HÁ ALGUNS DESSES LUGARES? QUAIS? ASSINALE COM UM **X**.

UNIDADE 2 ◆ FICHA 20

NOME: _____

DEMONSTRAR AFETO

UNIDADE 2
FICHA 20

» OBSERVE AS FOTOGRAFIAS E FALE SOBRE ESSAS FORMAS DE DEMONSTRAR AFETO.
» PINTE A MOLDURA DA IMAGEM QUE RETRATA SUA FORMA PREFERIDA DE DEMONSTRAR AFETO.

UNIDADE 2 ◆ **FICHA 21**

NOME: _____

AS ATIVIDADES EM CASA

» O QUE AS PESSOAS ESTÃO FAZENDO?

» CONTORNE OS OBJETOS QUE DEVEM SER USADOS COM CUIDADO.

» AGORA, FAÇA UM DESENHO QUE MOSTRE OUTRA ATIVIDADE REALIZADA DENTRO DE CASA QUE **NÃO** DEVE SER FEITA POR CRIANÇAS.

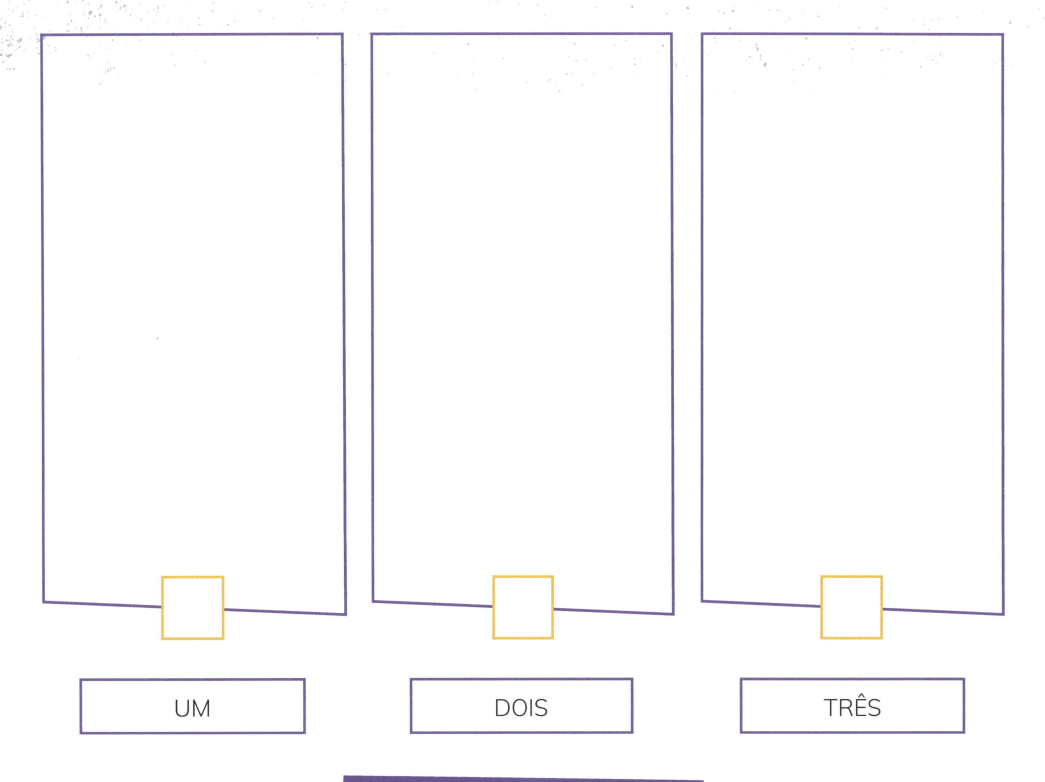

NOME: _____

NÚMEROS DE 1 A 3

UNIDADE 2
FICHA 22

ENCARTE

» DESTAQUE AS PEÇAS DO ENCARTE E COLE A QUANTIDADE DE CRIANÇAS INDICADA EM CADA QUADRO.

» ESCREVA NOS QUADRINHOS QUANTAS CRIANÇAS HÁ EM CADA QUADRO.

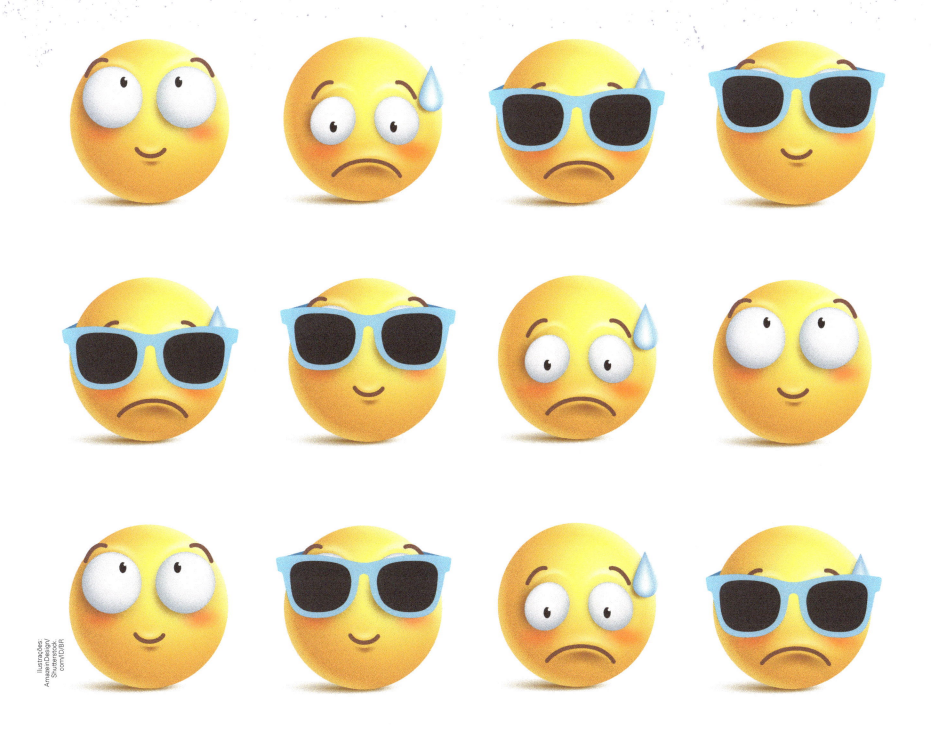

UNIDADE 2 ✦ FICHA 23

NOME: _____

CLASSIFICAR

UNIDADE 2
FICHA 23

» ESCUTE O PROFESSOR E CONTORNE AS CARINHAS:
  › FELIZES E COM ÓCULOS.
  › TRISTES E COM ÓCULOS.
  › FELIZES E SEM ÓCULOS.

UNIDADE 2 ◆ **FICHA 24**

NOME: _____

TODOS / NEM TODOS

UNIDADE 2
FICHA 24

» CONTORNE OS CÍRCULOS AZUIS.
» O PROFESSOR VAI LER AS FRASES ABAIXO. OUÇA CADA UMA DELAS E RESPONDA SE A FRASE É VERDADEIRA OU FALSA.
  › TODAS AS FIGURAS SÃO AZUIS.
  › TODAS AS FIGURAS SÃO CÍRCULOS.
  › NEM TODAS AS FIGURAS SÃO AZUIS.
  › NEM TODAS AS FIGURAS SÃO CÍRCULOS.

UNIDADE 2 ◆ **FICHA 25**

NOME: _____

DONA BARATINHA

UNIDADE 2 · FICHA 25

» OUÇA A HISTÓRIA QUE O PROFESSOR VAI LER.
» CONTORNE O ÚLTIMO ANIMAL QUE MOSTRA SUA VOZ PARA DONA BARATINHA.
» POR ÚLTIMO, DESENHE OUTRO FINAL PARA A HISTÓRIA DA DONA BARATINHA.

CENÁRIO

PERSONAGEM PRINCIPAL

UNIDADE 2 ◆ **FICHA 26**

NOME: _____

DONA BARATINHA

UNIDADE 2 — FICHA 26

» QUAL É O LUGAR ONDE SE PASSA A HISTÓRIA DA DONA BARATINHA? CONTORNE DE VERMELHO A ILUSTRAÇÃO QUE MOSTRA O CENÁRIO CORRETO.

» QUEM É A PERSONAGEM PRINCIPAL DA HISTÓRIA DA DONA BARATINHA? CONTORNE DE VERDE A ILUSTRAÇÃO QUE REPRESENTA A PERSONAGEM CORRETA.

UNIDADE 2 ◆ FICHA 27

NOME: _____

A RECICLAGEM

UNIDADE 2
FICHA 27

» LIGUE CADA OBJETO À LIXEIRA ADEQUADA. USE LÁPIS DA MESMA COR DA LIXEIRA EM QUE O OBJETO SERÁ DESCARTADO.

UNIDADE 2 ✦ FICHA 28

NOME: _____

OS NOMES DAS RUAS

UNIDADE 2
FICHA 28

ENCARTE

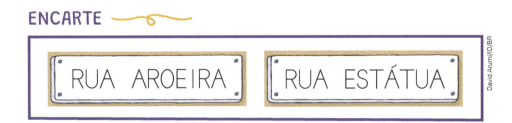

» DESTAQUE DO ENCARTE A PLACA COM O NOME DA RUA QUE COMEÇA COM A LETRA **A**.

» COLE A PLACA NO PRÉDIO.

UNIDADE 2 ✦ **FICHA 29**

NOME: _____

QUEBRA-CABEÇA (ORIENTAÇÃO ESPACIAL)

ENCARTE

» DESTAQUE AS PEÇAS DO ENCARTE E COLE AS FATIAS PARA MONTAR A *PIZZA*.

UNIDADE 2 ◆ **FICHA 30**

NOME: _____

DE UM LADO / DE OUTRO LADO

UNIDADE 2
FICHA 30

ENCARTE

» DESTAQUE AS PEÇAS DO ENCARTE.

» POSICIONE CADA FAMÍLIA DE MODO QUE A MÃE FIQUE DE UM LADO DO FILHOTE E O PAI, DE OUTRO LADO.

» EXPLIQUE A POSIÇÃO DOS PAIS E DOS FILHOTES, DIZENDO: **DE UM LADO** / **DE OUTRO LADO**.

UNIDADE 2 ✦ FICHA 31

NOME: _____

OS TRÊS PORQUINHOS (SÉRIE LÓGICA)

UNIDADE 2 — FICHA 31

   ___ ___ ___

» OUÇA A HISTÓRIA QUE O PROFESSOR VAI LER.
» DESTAQUE AS PEÇAS DO ENCARTE. SIGA AS INDICAÇÕES DO PROFESSOR ENQUANTO ELE LÊ A HISTÓRIA DOS TRÊS PORQUINHOS.
» DEPOIS, COLE AS PEÇAS DO ENCARTE NA FICHA.
» AGORA, CONTINUE A SEQUÊNCIA, DESENHANDO OS CÍRCULOS.

ENCARTE

David Arumí/ID/BR

O QUE APRENDEMOS?

FICHA FINAL — UNIDADE 2 — FICHA 32

O QUE HÁ EM CASA?

COM QUEM TENHO ME DADO BEM?

NOME: _____

FICHA FINAL — UNIDADE 2 — FICHA 32

» DENTRO DA MOLDURA VERDE, DESENHE SEU LUGAR FAVORITO EM SUA CASA, COM OS MÓVEIS E OS OBJETOS.

» DENTRO DA MOLDURA AZUL, DESENHE VOCÊ E UM COLEGA COM QUEM VOCÊ TEM SE DADO BEM NA ESCOLA.

UNIDADE **3**

NOME: _____

QUANTAS COISAS PODEMOS FAZER!

NOME: _____

FICHA INICIAL — UNIDADE 3 — FICHA 1

QUE PROFISSÕES VOCÊ CONHECE?

» QUEM ESTÁ VISITANDO A CLASSE? O QUE ESSA PESSOA ESTÁ ENSINANDO ÀS CRIANÇAS?

» OBSERVE AS PALAVRAS QUE ESTÃO NO TAPETE E ESCUTE A LEITURA DO PROFESSOR.

» DE QUE TRATAM TODAS ESSAS PALAVRAS?

» QUE PROFISSÕES VOCÊ CONHECE? FAÇA UM DESENHO DE UMA DELAS.

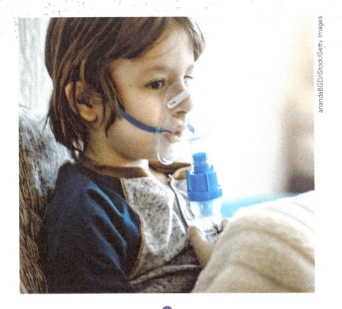

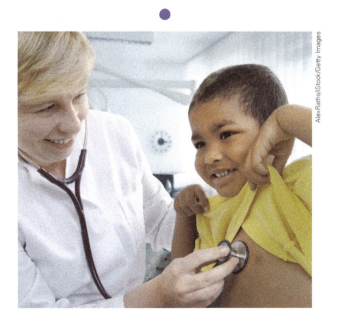

UNIDADE 3 ✦ FICHA 2

NOME: _____

OS PROFISSIONAIS DO SETOR DE SERVIÇOS

UNIDADE 3
FICHA 2

» LIGUE CADA CRIANÇA AO PROFISSIONAL QUE PODE AJUDÁ-LA.

» CONTORNE A FOTOGRAFIA QUE MOSTRA UMA SITUAÇÃO QUE VOCÊ JÁ VIVEU.

UNIDADE 3 ✦ FICHA 3

NOME: _____

MAIOR QUE / MENOR QUE

UNIDADE 3
FICHA 3

ENCARTE

» DESENHE UM ANIMAL QUE SEJA MENOR QUE O ELEFANTE.
» DESTAQUE O DINOSSAURO DO ENCARTE E COLE-O PERTO DO ELEFANTE.
» COMPARE OS ANIMAIS, DIZENDO: **MAIOR QUE** / **MENOR QUE**.

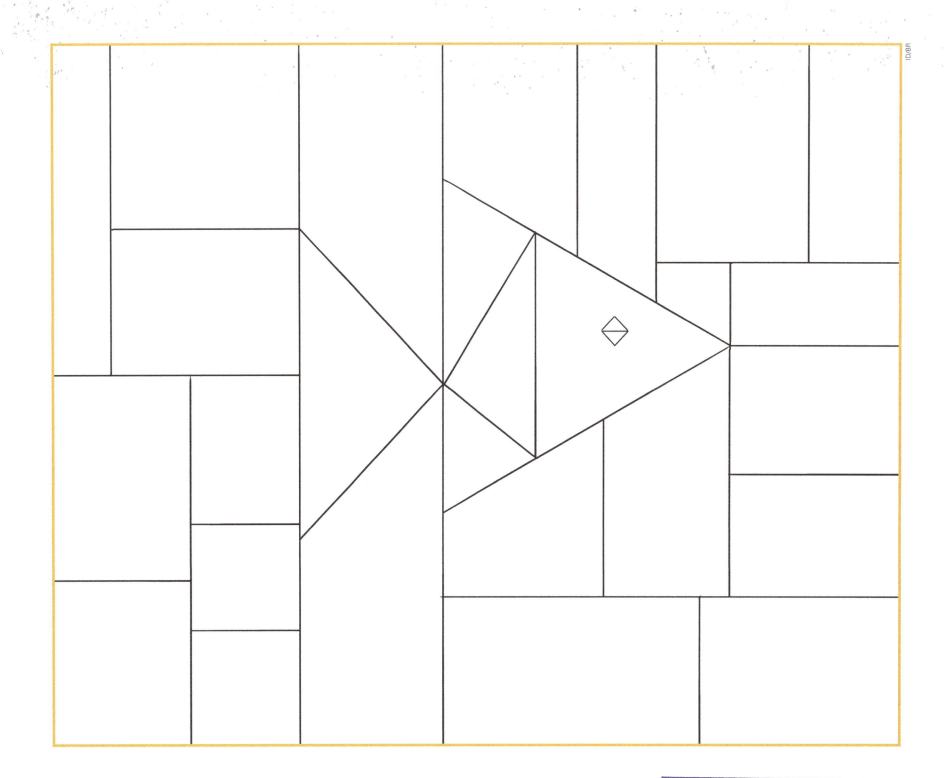

UNIDADE 3 ✦ FICHA 4

NOME: _____

IDENTIFICAR TRIÂNGULOS

UNIDADE 3
FICHA 4

» PINTE OS TRIÂNGULOS PARA DESCOBRIR A IMAGEM QUE ESTÁ ESCONDIDA.

UNIDADE 3 ✦ FICHA 5

NOME: _____

NÚMEROS DE 1 A 6

UNIDADE 3
FICHA 5

» REGISTRE NOS QUADRINHOS QUANTOS OVOS FRITOS HÁ EM CADA BANDEJA.
» DESENHE NO QUADRO A MESMA QUANTIDADE DE OVOS FRITOS QUE HÁ NA BANDEJA VERMELHA.

UNIDADE 3 ✦ FICHA 6

NOME: _____

AS PROFISSÕES E OS SEUS INSTRUMENTOS

UNIDADE 3 — FICHA 6

ENCARTE

» OBSERVE AS FOTOS DOS INSTRUMENTOS DE TRABALHO. QUE INSTRUMENTOS SÃO ESSES? QUE PROFISSIONAIS OS UTILIZAM PARA TRABALHAR?

» DESTAQUE OS PROFISSIONAIS DO ENCARTE E COLE-OS NO QUADRO CORRESPONDENTE AOS INSTRUMENTOS DE TRABALHO QUE UTILIZAM EM SUA PROFISSÃO.

» VAMOS BRINCAR DE MÍMICA? ESCOLHA UM DOS INSTRUMENTOS DE TRABALHO DAS FOTOS. FAÇA DE CONTA QUE ESTÁ TRABALHANDO COM ESSE INSTRUMENTO PARA QUE SEUS COLEGAS ADIVINHEM A PROFISSÃO CORRESPONDENTE.

 FLORICULTURA

FARMÁCIA

PADARIA

LIVRARIA

UNIDADE 3 ✦ FICHA 7

NOME: _____

OS PROFISSIONAIS DO COMÉRCIO

UNIDADE 3
FICHA 7

» PINTE A MOLDURA DAS FOTOS COM A COR DA ETIQUETA CORRESPONDENTE.
» DIGA QUAL É O PROFISSIONAL QUE TRABALHA EM CADA UM DOS LUGARES DAS FOTOS.

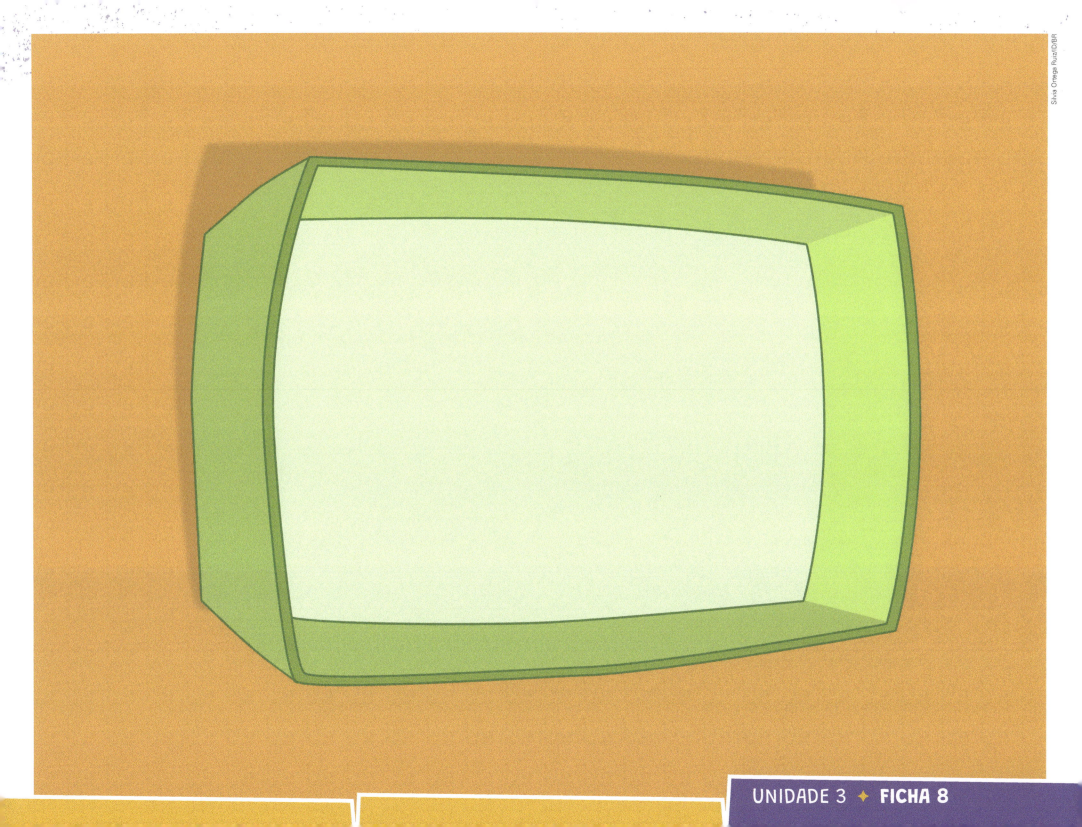

UNIDADE 3 ✦ **FICHA 8**

NOME: _____

RECONHECER SITUAÇÕES AGRADÁVEIS

UNIDADE 3
FICHA 8

ENCARTE

» DESTAQUE AS PEÇAS DO ENCARTE E COLE NA CAIXA AS IMAGENS QUE MOSTRAM SITUAÇÕES AGRADÁVEIS.

» CONTE AOS COLEGAS E AO PROFESSOR UMA SITUAÇÃO AGRADÁVEL QUE VOCÊ VIVEU.

UNIDADE 3 ◆ **FICHA 9**

NOME: _____

OS PROFISSIONAIS DA ARTE

- » QUAL É A PROFISSÃO DESSAS PESSOAS?
- » COM A AJUDA DO ADULTO QUE CUIDA DE VOCÊ, PESQUISE OUTRAS PROFISSÕES LIGADAS À ARTE.
- » AGORA, FAÇA UM DESENHO DE UM PROFISSONAL LIGADO À ARTE QUE VOCÊ DESCOBRIU EM SUA PESQUISA.

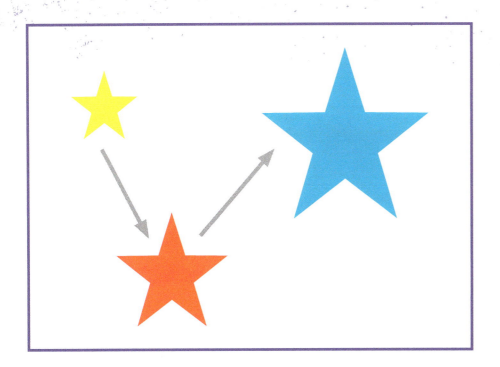
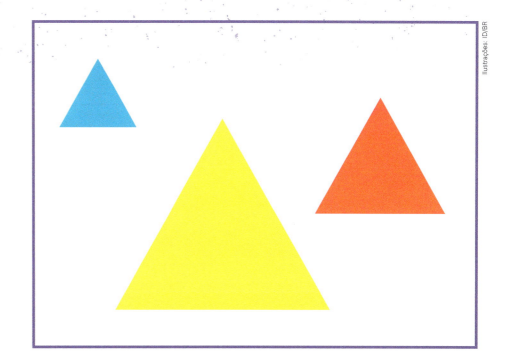

UNIDADE 3 ✦ **FICHA 10**

NOME: _____

MAIOR QUE / MENOR QUE

UNIDADE 3 — FICHA 10

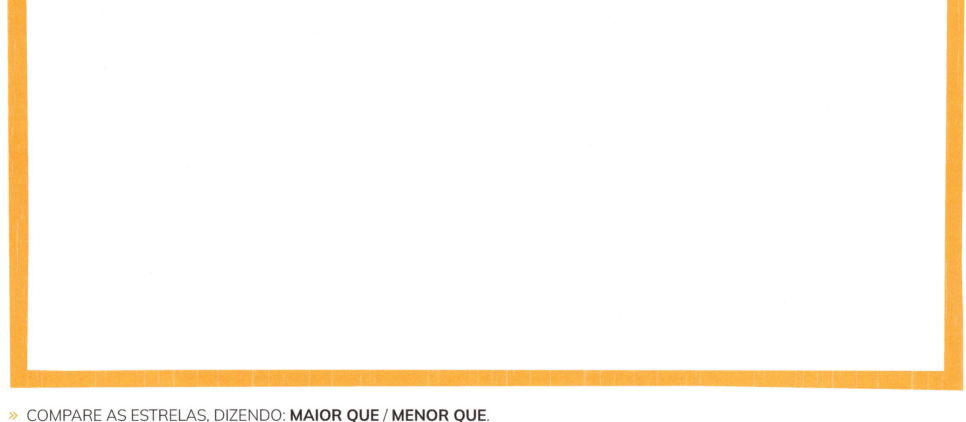

» COMPARE AS ESTRELAS, DIZENDO: **MAIOR QUE / MENOR QUE**.

» LIGUE AS FIGURAS COM SETAS DA MENOR PARA A MAIOR, ASSIM COMO FOI FEITO COM AS ESTRELAS.

» ESCOLHA UM OBJETO. DESENHE-O 3 VEZES NO QUADRO.

» LIGUE OS OBJETOS COM SETAS, DO MENOR PARA O MAIOR, COMO FOI FEITO COM AS FIGURAS DA FICHA.

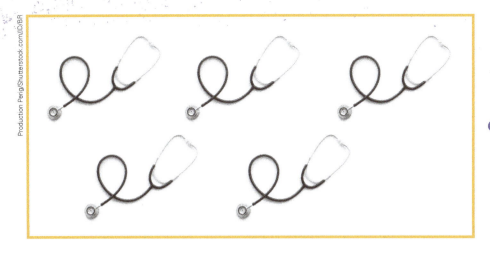

QUATRO

CINCO

SEIS

UNIDADE 3 ✦ **FICHA 11**

NOME: _____

NÚMEROS DE 1 A 6

» CONTE A QUANTIDADE DE ELEMENTOS EM CADA GRUPO.
» LIGUE CADA GRUPO AO NÚMERO CORRESPONDENTE.

UNIDADE 3 ✦ FICHA 12

NOME: _____

OS PROFISSIONAIS DO ESPORTE

UNIDADE 3 — FICHA 12

» O QUE O MENINO E A MENINA ESTÃO FAZENDO?

» COM A AJUDA DO PROFESSOR, PESQUISE, RECORTE E COLE IMAGENS DE PROFISSIONAIS DO ESPORTE.

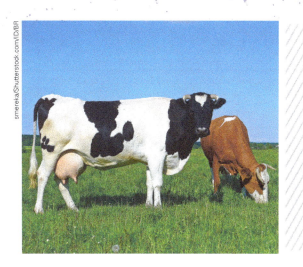

UNIDADE 3 ✦ FICHA 13

NOME: _____

AS PROFISSÕES RELACIONADAS À NATUREZA

UNIDADE 3 — FICHA 13

ENCARTE

» DIGA QUEM TRABALHA EM CADA LUGAR.

» DESTAQUE AS PEÇAS DO ENCARTE E COLE OS PROFISSIONAIS AO LADO DO LUGAR ONDE ELES TRABALHAM.

BANDA DE MÚSICOS, DE MESTRE VITALINO.

UNIDADE 3 ✦ **FICHA 14**

NOME: _____

BANDA DE MÚSICOS, DE MESTRE VITALINO

MESTRE VITALINO (1909-1963)

VITALINO PEREIRA DOS SANTOS NASCEU EM CARUARU, NO ESTADO DE PERNAMBUCO, NO NORDESTE BRASILEIRO. SEU PAI ERA LAVRADOR E SUA MÃE FAZIA PANELAS DE BARRO PARA VENDER.

DESDE MENINO, ELE FAZIA PEQUENOS ANIMAIS COM O BARRO QUE SOBRAVA DO TRABALHO DA MÃE. DEPOIS DE ADULTO, FICOU CONHECIDO COMO MESTRE VITALINO POR SEU TRABALHO DE ESCULTURA DE PESSOAS, ANIMAIS E CENAS DE SUA REGIÃO.

SEU TRABALHO FOI EXPOSTO EM VÁRIAS PARTES DO MUNDO. EM CARUARU EXISTE UM MUSEU COM AS OBRAS DESSE ARTISTA BRASILEIRO.

» PINTE OS SÍMBOLOS MUSICAIS E DECORE A PÁGINA. PARA ISSO, MOLHE AS PONTAS DOS DEDOS COM TINTA DE CORES DIFERENTES E PASSE-AS SOBRE O PAPEL.

UNIDADE 3
FICHA 14

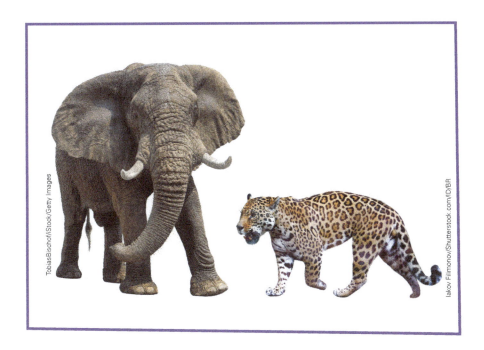

UNIDADE 3 ◆ FICHA 15

NOME: _____

MAIS PESADO QUE / MAIS LEVE QUE

UNIDADE 3
FICHA 15

» FAÇA UM **X** NO ELEMENTO MAIS PESADO DE CADA QUADRO.
» COMPARE OS ELEMENTOS DOS PARES, DIZENDO:
  MAIS PESADO QUE / MAIS LEVE QUE.
» CONTORNE O ELEMENTO MAIS PESADO DE TODOS.

UNIDADE 3 ◆ FICHA 16

NOME: _____

MAIS PESADO QUE / MAIS LEVE QUE

UNIDADE **3**
FICHA **16**

- » COM OS COLEGAS E O PROFESSOR, BUSQUE DOIS OBJETOS NA SALA DE AULA E COMPARE O PESO DELES.
- » DESENHE CADA OBJETO NO PRATO ADEQUADO DA BALANÇA.
- » COMPARE O PESO DOS OBJETOS, DIZENDO:
  MAIS PESADO QUE / **MAIS LEVE QUE**.

| I | N | D | Ú | S | T | R | I | A |

UNIDADE 3 ✦ FICHA 17

NOME: _____

LETRA I / ATIVIDADES DA INDÚSTRIA

UNIDADE 3
FICHA 17

» ASSINALE COM UM **X** OS QUADRINHOS DOS LOCAIS ONDE SÃO FABRICADOS OS CARROS.
» COMPLETE A PALAVRA COM AS LETRAS QUE FALTAM PARA DESCOBRIR O NOME DESSE LOCAL.

UNIDADE 3 ✦ FICHA 18

NOME: _____

DEMONSTRAR ALEGRIA / TRISTEZA / AFETO

UNIDADE 3
FICHA 18

» PINTE A CENA EM QUE A MENINA ESTÁ FELIZ.

> A MENINA E O MENINO DA IMAGEM DEMONSTRAM AFETO BRINCANDO JUNTOS. DESENHE VOCÊ E UMA PESSOA POR QUEM VOCÊ TENHA AFETO FAZENDO ALGO QUE GOSTEM DE FAZER JUNTOS.

NOME: _____

O CARDÁPIO

UNIDADE 3
FICHA 19

ENCARTE

» DIGA QUAIS SÃO AS OPÇÕES DO CARDÁPIO.
» DESTAQUE AS PEÇAS DO ENCARTE E COLE, NOS BALÕES DE FALA, OS PRATOS DE SUA ESCOLHA.

UNIDADE 3 ✦ FICHA 20

NOME: _____

O COMÉRCIO

UNIDADE 3
FICHA 20

A VENDA DO SEU CHICO

A VENDA DO SEU CHICO TEM DE TUDO:
DESDE RENDA ATÉ PENICO.
TEM ARROZ, FEIJÃO, CARNE DE SOL,
BOTA PARA PEÃO, LENÇOL, SEMENTE DE GIRASSOL.
TEM AGULHA E LINHA, MILHO PARA GALINHA,
PANELA DE BARRO, UNGUENTO PARA CATARRO,
FOLHINHA, MALA PARA VIAGEM,
TEM TUDO QUANTO É BOBAGEM.
TEM ATÉ DICIONÁRIO DE RIMA!

ROSEANA MURRAY. *PERA, UVA OU MAÇÃ?*
SÃO PAULO: SCIPIONE, 2005. P. 43.

» OUÇA O POEMA QUE O ADULTO QUE CUIDA DE VOCÊ VAI LER.
» O QUE TEM NA VENDA DO SEU CHICO?
» DESENHE NAS CAIXAS ALGUNS PRODUTOS DA VENDA DO SEU CHICO.

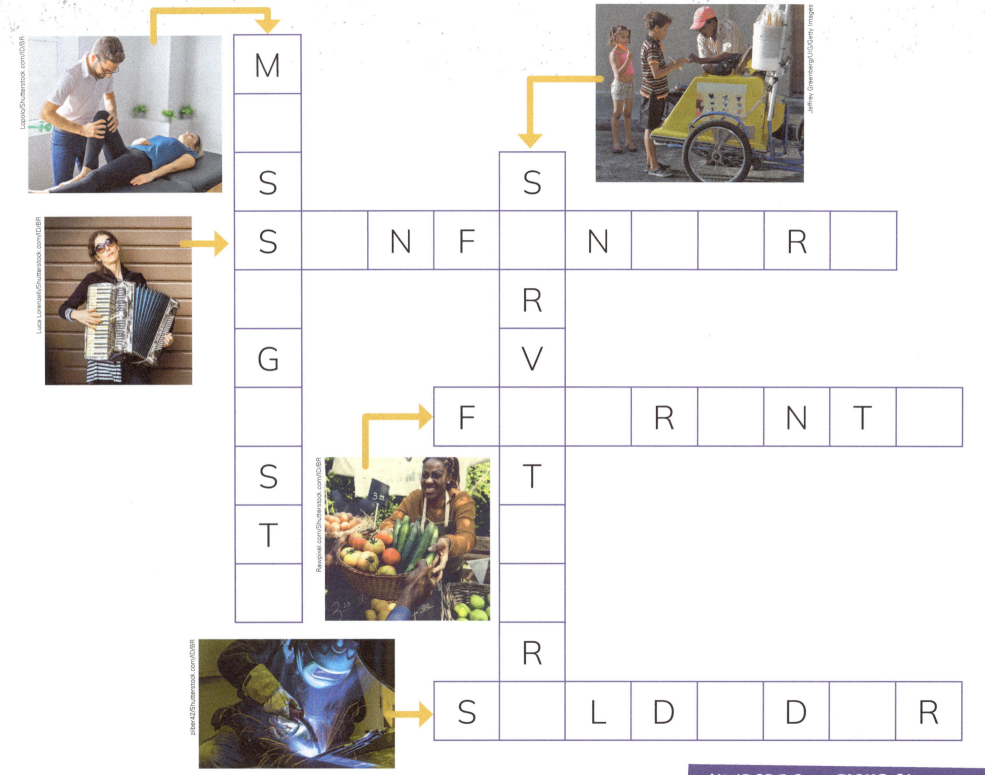

UNIDADE 3 ✦ FICHA 21

NOME: _____

OS PROFISSIONAIS DO SETOR DE SERVIÇOS

UNIDADE 3
FICHA 21

» COMPLETE A CRUZADINHA COM O NOME DO PROFISSIONAL RETRATADO EM CADA FOTOGRAFIA.

UNIDADE 3 ◆ FICHA 22

NOME: _____

RECONHECER AS EMOÇÕES AGRADÁVEIS

UNIDADE 3 — FICHA 22

» CONTORNE AS CRIANÇAS QUE TÊM EMOÇÕES AGRADÁVEIS.

» FAÇA UM **X** NAS CRIANÇAS QUE PARECEM TER EMOÇÕES DESAGRADÁVEIS.

» O QUE PODE TER ACONTECIDO PARA QUE ESSAS CRIANÇAS TENHAM EMOÇÕES DESAGRADÁVEIS?

» DESENHE UMA SITUAÇÃO EM QUE VOCÊ ESTEJA IRRITADO, ACALMANDO-SE OU BEM TRANQUILO.

UNIDADE 3 ✦ **FICHA 23**

NOME: _____

EM CIMA DE / EMBAIXO DE

UNIDADE 3
FICHA 23

» FAÇA UM **X** NO OBJETO QUE ESTÁ EMBAIXO DO MENINO.
» FALE ONDE ESTÃO O MENINO, O BANCO E A RÃ, DIZENDO:
  EM CIMA DE / **EMBAIXO DE**.
» FALE ONDE ESTÃO A MENINA, O BANCO E A RÃ, DIZENDO:
  EM CIMA DE / **EMBAIXO DE**.

UNIDADE 3 ◆ FICHA 24

NOME: _____

EM CIMA DE / EMBAIXO DE

UNIDADE 3
FICHA 24

ENCARTE

» DESTAQUE O PRESUNTO, O QUEIJO E O PÃO DO ENCARTE.

» COLOQUE OS INGREDIENTES UM EM CIMA DO OUTRO PARA MONTAR SEU SANDUÍCHE. DEPOIS, COLE-OS, PARA QUE O SANDUÍCHE FIQUE MONTADO.

» DIGA ONDE ESTÃO O PRESUNTO, O PÃO E O QUEIJO USANDO:
EM CIMA DE / **EMBAIXO DE**.

UNIDADE 3 ✦ **FICHA 25**

NOME: _____

QUEBRA-CABEÇA

UNIDADE 3
FICHA 25

ENCARTE

» DESTAQUE AS PEÇAS DO ENCARTE E MONTE O QUEBRA-CABEÇA.

UNIDADE 3 ✦ FICHA 26

NOME: _____

OS PROFISSIONAIS DA CONSTRUÇÃO CIVIL

UNIDADE 3 — FICHA 26

» O QUE O HOMEM ESTÁ FAZENDO?
» QUAL É A PROFISSÃO DELE?
» DESENHE OUTRO PROFISSIONAL QUE TRABALHA NA CONSTRUÇÃO CIVIL.

UNIDADE 3 ✦ FICHA 27

NOME: _____

AS PROFISSÕES DOS ADULTOS

UNIDADE 3
FICHA 27

» PEÇA AO ADULTO QUE CUIDA DE VOCÊ PARA CONTAR SOBRE A PROFISSÃO DELE OU SOBRE A PROFISSÃO DE UM ADULTO DA SUA FAMÍLIA.

» FAÇA UM DESENHO QUE RETRATE A PESSOA ESCOLHIDA EM UM MOMENTO EM QUE ELA ESTÁ TRABALHANDO.

» ESCREVA O NOME DA PROFISSÃO EMBAIXO DO SEU DESENHO.

UNIDADE 3 ✦ **FICHA 28**

NOME: _____

CLASSIFICAÇÃO POR FORMA E COR

UNIDADE 3 — FICHA 28

» DESENHE AS FIGURAS DENTRO DO QUADRO ADEQUADO, SEGUINDO AS INDICAÇÕES QUE O PROFESSOR VAI LER.
  › UMA FIGURA DE UM QUADRADO AMARELO.
  › UMA FIGURA QUE NÃO SEJA TRIÂNGULO E SEJA VERMELHA.
  › UMA FIGURA QUE SEJA CÍRCULO E QUE NÃO SEJA AZUL.
  › UMA FIGURA QUE NÃO SEJA TRIÂNGULO E NÃO SEJA VERMELHA.

UNIDADE 3 ✦ FICHA 29

NOME: _____

A LEITEIRA

UNIDADE 3
FICHA 29

» DESENHE PARA COMPLETAR O QUE A LEITEIRA IMAGINOU A CAMINHO DA FEIRA.

» O QUE A LEITEIRA PODERIA TER COMPRADO SE NÃO TIVESSE DERRAMADO O LEITE? DESENHE.

CABELEIREIRA

ARTISTA PLÁSTICA

PINTOR

JARDINEIRA

UNIDADE 3 ✦ **FICHA 30**

NOME: _____

OS PROFISSIONAIS DO SETOR DE SERVIÇOS

UNIDADE 3
FICHA 30

ENCARTE

» O QUE FAZEM ESSES PROFISSIONAIS?

» COMO CHAMAMOS CADA UM DELES?

» DESTAQUE AS PEÇAS DO ENCARTE E COLE CADA FERRAMENTA NO QUADRO DO PROFISSIONAL QUE A USA.

UNIDADE 3 ✦ FICHA 31

NOME: _____

VERDADEIRO OU FALSO (SÉRIE LÓGICA)

    _____ _____ _____ _____

» DESENHE UMA FLOR AZUL NO QUADRINHO QUE FOR VERDADEIRO E UMA FLOR VERMELHA NO QUE FOR FALSO.
  › CACHINHOS DOURADOS TINHA UM CABELO MUITO LOURO E ENCARACOLADO, POR ISSO ELA ERA CHAMADA ASSIM.
  › CACHINHOS DOURADOS DORMIU NA CAMA PEQUENA. ERA A CAMA MAIS CONFORTÁVEL E MAIS BONITA, PORQUE NELA HAVIA UM COBERTOR DE FLORES.
  › PINÓQUIO VAI À ESCOLA COM SUA MOCHILA E SEU AMIGO GRILO FALANTE.
  › HOJE PINÓQUIO DISSE MUITAS MENTIRAS E POR ISSO TEM O NARIZ TÃO GRANDE.

» CONTINUE A SEQUÊNCIA, DESENHANDO E COLORINDO OS ELEMENTOS.

FICHA FINAL — UNIDADE 3 — FICHA 32

O QUE APRENDEMOS?

MINHA PROFISSÃO FAVORITA

A QUEM EU TENHO AJUDADO?

NOME: _____

» NO QUADRO VERDE, DESENHE SUA PROFISSÃO FAVORITA E TUDO O QUE VOCÊ SABE SOBRE ELA: FERRAMENTAS, ROUPA, LUGAR, ATIVIDADES.

» NO QUADRO AZUL, FAÇA UM DESENHO DE VOCÊ MESMO COM UM COLEGA A QUEM TENHA AJUDADO.

ENCARTES

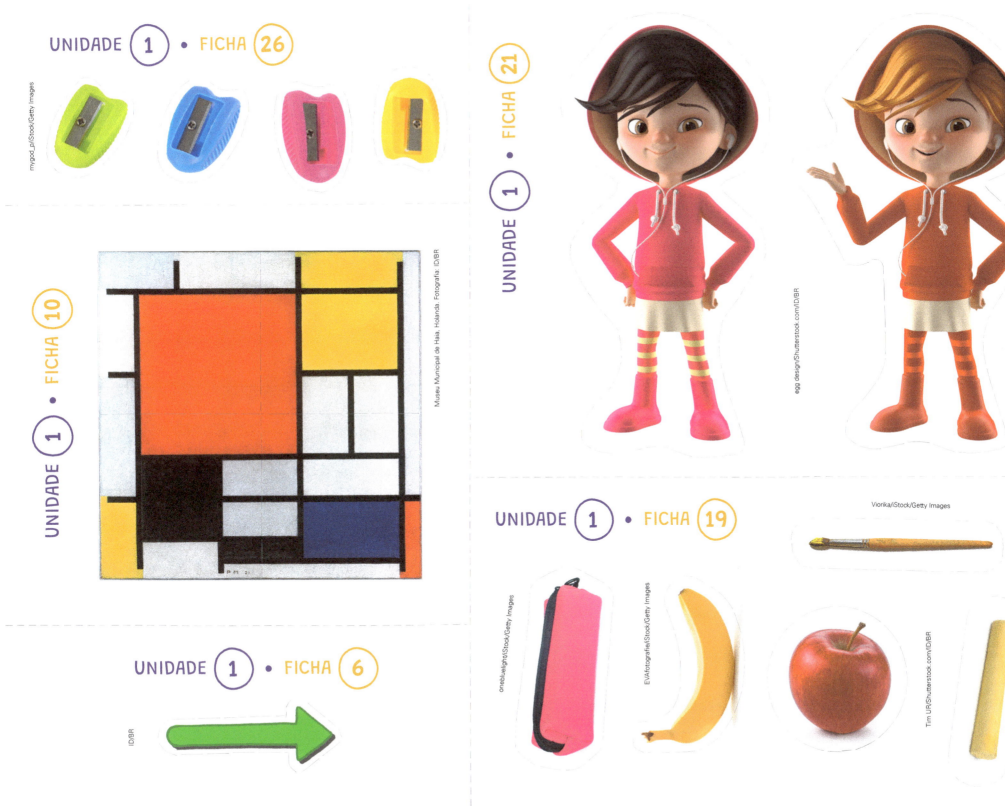

UNIDADE 2 • FICHA 28

UNIDADE 2 • FICHA 15

UNIDADE 2 • FICHA 4

UNIDADE 3 • FICHA 30

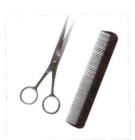

UNIDADE 3 • FICHA 13

UNIDADE 2 • FICHA 14

UNIDADE 2 • FICHA 22

UNIDADE 3 • FICHA 8

UNIDADE 2 • FICHA 16

UNIDADE 3 • FICHA 6

UNIDADE 3 • FICHA 25

UNIDADE 3 • FICHA 24

UNIDADE 3 • FICHA 19

APRENDEMOS A FALAR

SEM A AJUDA DO RATINHO, O LEÃO NÃO TERIA ESCAPADO DA ARMADILHA.

» VOCÊ JÁ RECEBEU AJUDA DE ALGUÉM PARA FAZER ALGO DIFÍCIL? COMO FOI ESSA EXPERIÊNCIA?

» VOCÊ JÁ AJUDOU ALGUÉM A FAZER ALGO DIFÍCIL? CONTE COMO FOI.

APRENDEMOS A OLHAR

AS ILUSTRAÇÕES DESTE CONTO FORAM FEITAS COM **DOBRADURAS**.

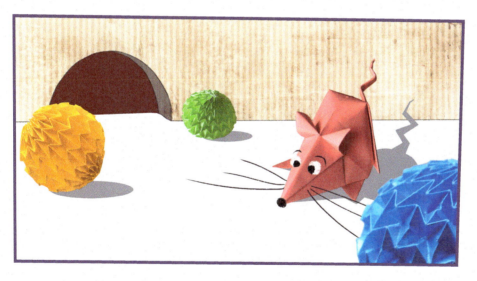

» QUE FIGURAS DESTA IMAGEM FORAM FEITAS DE PAPEL DOBRADO?

» AGORA É A SUA VEZ DE CRIAR UMA PERSONAGEM FEITA DE DOBRADURA! PARA ISSO, DOBRE UMA FOLHA DE PAPEL DE DIFERENTES FORMAS E TENTE CRIAR UMA FIGURA. DEPOIS, DESENHE NELA UM ROSTO DIVERTIDO E PRONTO: VOCÊ TERÁ OUTRA PERSONAGEM!

— OBRIGADO, RATO!

— NHAM-NHAM, NHAM-NHAM.

— SOCORRO!

— OBRIGADO, LEÃO!

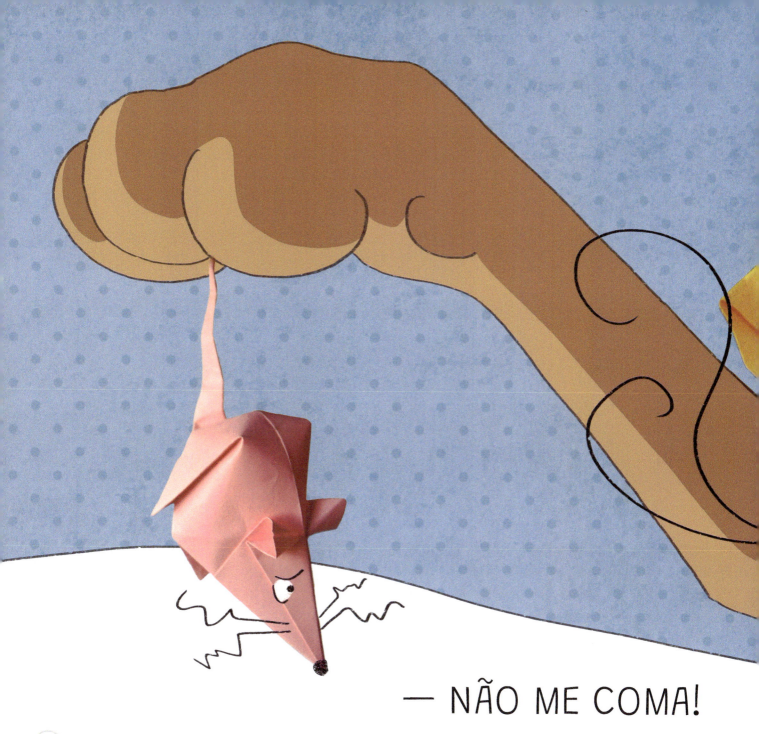

— NÃO ME COMA!

O LEÃO DORME.

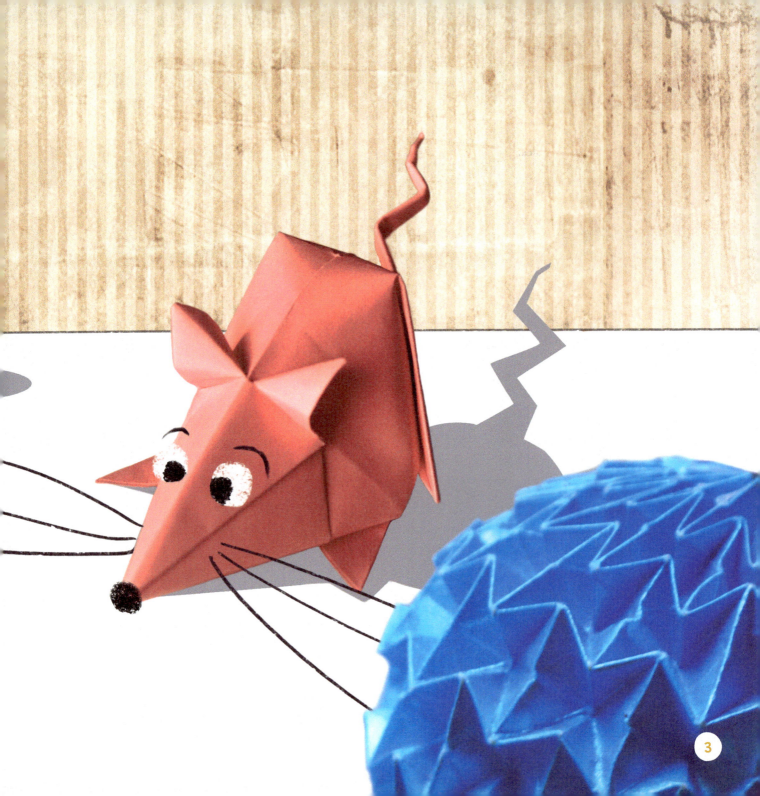

O RATO BRINCA.

O LEÃO E O RATO

ADAPTAÇÃO DE CONTO POPULAR

ILUSTRAÇÕES DE SERINA MAIO

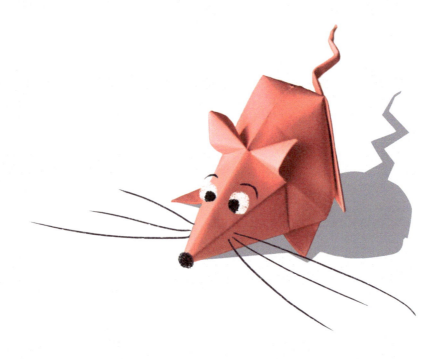

APRENDEMOS A FALAR

MARCELINA E SEUS PINTINHOS COMPARTILHARAM O PÃO COM TODOS, APESAR DE NINGUÉM TER AJUDADO A PREPARAR O ALIMENTO.

» COM QUEM VOCÊ COMPARTILHA O MATERIAL ESCOLAR?
» O QUE VOCÊ FAZ QUANDO ALGUM AMIGO PEDE ALGO QUE VOCÊ TEM?
» E COMO VOCÊ AGE QUANDO PRECISA PEDIR EMPRESTADO ALGO QUE NÃO É SEU?

APRENDEMOS A OLHAR

OBSERVE A ILUSTRAÇÃO A SEGUIR COM ATENÇÃO.

» AS PERSONAGENS DO CONTO FORAM FEITAS COM **FELTRO** COLORIDO RECORTADO E COLADO UM SOBRE O OUTRO. QUE PERSONAGEM VOCÊ ACHA MAIS DIFÍCIL DE FAZER?
» EM UMA FOLHA AVULSA DE PAPEL, CRIE UM ANIMAL COM PEDAÇOS DE FELTRO.

— QUE DELÍCIA!

— VOCÊS NÃO MERECEM!

— QUE CHEIRO BOM!

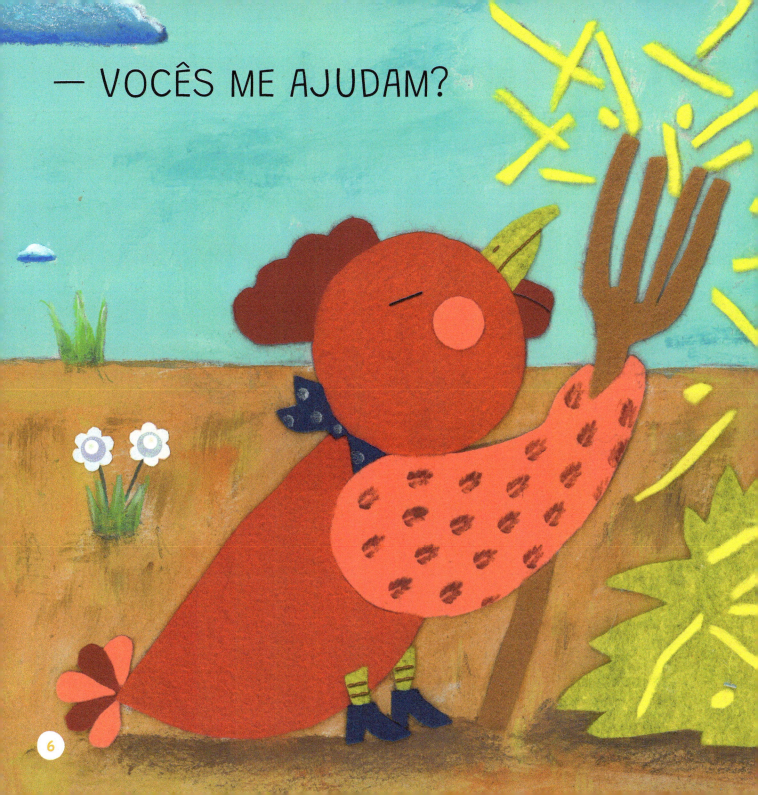
— VOCÊS ME AJUDAM?

— VOCÊS SEMEIAM COMIGO?

— UM GRÃO DE TRIGO!

A GALINHA MARCELINA

ADAPTAÇÃO DE CONTO POPULAR

ILUSTRAÇÕES DE NÚRIA ALTAMIRANO